KU-107-735

Pokaż mi człowieka szczęśliwego,
a ja ci wskażę egoizm, samolubstwo,
zło albo też całkowitą ignorancję.

Graham Green

farciarz

Adu

w serii ukazały się:

Marek Bukowski ***Wysłannik szatana***

Joanna Rudniańska ***Miejsca***

Tomasz Mirkowicz ***Pielgrzymka do Ziemi Świętej Egiptu***

Małgorzata Saramonowicz ***Siostra***

Małgorzata Saramonowicz ***Lustra***

Gabriel Meretik ***Kryptonim „Luksemburg"***

Hanna Samson ***Pułapka na motyla***

Marek Ławrynowicz ***Kino „Szpak"***

Jerzy Sosnowski ***Apokryf Agłai***

Jerzy Sosnowski ***Linia nocna***

Krystyna Kofta ***Krótka historia Iwony Tramp***

Anna Bojarska ***List otwarty do królowej Wiktorii***

Anna Bojarska ***Ja***

Mariusz Ziomecki ***Lato nieśmiertelnych***

Witold Horwath ***Seans***

Andrzej Horubała

farciarz

MILTON KEYNES LIBRARIES

MKC	BRIGHT	9203

POL HOR

© copyright by
wydawnictwo W.A.B., 2003
wydanie I
Warszawa 2003

godzina 10.15

Kurwa, to jest to!

Jakaś część mózgu wysyła właśnie taki triumfalny, szalony sygnał. Wiem, że tak nie przystoi, że ta kurwa jest absolutnie niestosowna tu, na biskupich pokojach. A tym bardziej w tej sytuacji. Wiem, że to przegięcie. Czuję się jak gość, który odziedziczył wielki spadek i nie jest w stanie utrzymać żałoby, tylko chce krzyczeć z pijanego zachwytu, skakać i śmiać się. To podłe. A jednak mój mózg odruchowo, z jakiegoś ciemnego zakamarka wysyła niesmaczne sygnały triumfu. Niestosowne sygnały. Ale czy ja jestem stosowny w tym wszystkim? Z tą uduchowioną miną, wciśnięty w marynarkę, potakujący księdzu biskupowi? Znowu się fartuję. Zwyciężam. Wszystko - całe moje życie - zaczyna się wreszcie składać w kupę. W jedną wielką poświęconą kupę.

Znowu zwyciężam.

Zerkam z lękiem na biskupa, czy czasami nie czyta w moich fekalnych myślach, ale on z grymasem zadowolenia wyginającym mięsiste wargi, przełykając co chwila ślinę, przechadza się po lekko wyliniałym dywanie. Spacerując między biblioteczką pełną francuskich książek religijnych a gdańskim solidnym biurkiem z ciemnego jak trzeba drewna, ofiarowuje zapewne nasze dzieło Opatrzności Bożej i wędruje myślami hen, hen, ku sklepieniom niebieskim.

Ale mnie od czasu wspinaczki na szczyt katedry we Florencji nawet sklepienia niebieskie kojarzą się z analnym seksem. Diabły wyobrażone na kopule męczą tam golutkich grzeszników, wtykając im w tyłki jakieś pochodnie na potężnych kijach od mioteł czy coś w tym guście. Wizja Vasariego jest tak dosłowna, że patrząc na wiszących głowami w dół nieszczęśników, ścisnąłem mimowolnie pośladki opięte białymi levisami i zrozumiałem, że to prawdziwy koniec moich podchodów na urozmaicenie seksu małżeńskiego. Spojrzałem na stojącą obok mnie zadyszaną Gosię z diamencikami potu nad górną wargą. Z zainteresowaniem rejestrowała gargantuiczny obraz piekła oraz sądu, nieświadoma chyba, z czym kojarzę bohomazy na kopule. Pomyślałem: okay, niech będzie, obiecuję, moje członki nie będą już nigdy zmierzały ku twoim zakazanym miejscom.

Propozycja biskupa jest nieziemska i prawdę mówiąc, mimo tych wszystkich radosnych kurew, które szturmują moją głowę, wiem, że projekt wyciągnie mnie ku wyżynom, uduchowi i już za parę dni przeanieli. Próbuję wznieść swój umysł ku najwspanialszym przeżyciom, ale dochodzę tylko do wspomnienia tej mistyki, która udziela się przy imprezach na żywo. Przekaz live, odliczanie idzie na ostro, w wozie transmisyjnym widzisz, że na antenie zaczyna się blok sponsorsko-reklamowy poprzedzający koncert, ostatni kolesie z ekipy technicznej pochyleni, jakby znajdowali się pod obstrzałem na linii frontu, przebiegają prawie na czworakach przez scenę, poprawiasz na głowie słuchawki z mikrofonem, poklepujesz realizatora i startujesz czołówkę. Zaczyna się: w kompletnej ciemności odpalają ognie sceniczne. Nagły wyrzyg światła rozwala percepcję. Źrenice głupieją totalnie, niepewne, czy kurczyć się, czy rozszerzać, czy widzą negatyw, czy to świat przybrał przekłamane barwy. Ogłuszająca solówka gitary sprzężonej ze stroboskopem i wśród błysków załamujących się na dymach z mroku wyłaniają się wymodlone postaci. Skanery robią tradycyjny ukłon, przeczesując niczym gigantyczne świetliste grabie mglistą poświatę sceny, a ty czujesz się po prostu bossem. Jesteś w takiej euforii, że nie potrzeba ci żadnych kobiet, żadnych używek: ani alkoholu, ani innych przyspieszaczy. Masz we krwi mnóstwo błogosławionej adrenaliny, kochasz ten kicz, kręci cię to i choć jednocześnie gardzisz jarmarcznością swoich przedsięwzięć, wiesz, że nic nie zastąpi takich przeżyć. Efekt to efekt!

Czujesz się niewiarygodnie i raz odpaliwszy taką rzecz, jesteś pewien, że już się nie cofniesz. Co tam wyższe studia, co tam ambitna sztuka! Biegasz po koronie stadionu, po zapleczu sceny, twój badge ze zdjęciem, identyfikator umożliwiający wejście do każdego zakamarka, do każdej garderoby, obija się o pierś. Czujesz potężne basy płynące po ziemi z gigantycznych kolumn, walące w twoje bezbronne, wyczerpane tygodniami przygotowań ciało. Odpływasz.

Więc moja droga życiowa, zwieńczona spotkaniem u biskupa, miałaby okazać się słuszna? Przecież to jakieś jajo. Od dłuższego czasu poruszam się po omacku, prowadzony od przypadku do przypadku, odbijam się jak kulka w elektrycznym bilardzie o różne grzybki, dzwoneczki, wpadam w przedziwne konfiguracje sprężynujących wahadełek. Czujność ograniczam do oczekiwania na moment, gdy złomotany przez wihajstry spływam w dół, by jeszcze raz dać się podbić niezdarnym metalowym ramionom, poruszającym się z opóźnieniem, jakby niezależnie od naciskania na boczne guziki, ramionom, których uderzenie znów ekspediuje mnie ku dziwnym komputerowym odgłosom i kosmicznym pierdnięciom. Taki jestem: przypadkowy i bezwolny. Nabijający nie wiadomo za co jakieś ekstra punkty, premie, dodatkowe kolejki, wpadający do tuneli z profitami, pobierający niezasłużone bonusy.

Ja – metalowa kulka, ja – robal, jeszcze parę dni temu byłem pewien, że oto Pan Bóg traci już cierpliwość i kończy z moim istnieniem. Tramwaj zazgrzytał na zakręcie, zatrzaskiwałem właśnie drzwi mojej alfy, gdy poczułem znów ten straszny bulgot w brzuchu. Pikając pilotem od centralnego zamka, z rezygnacją pomyślałem, że oto znudzony Bóg Ojciec zaczyna mnie rozgniatać. Jego noga obuta w sandał miażdży mnie robala, a On wsłuchuje się z zadumanym uśmiechem w odgłos pękającego chitynowego pancerzyka. No tak, widowisko pod tytułem *Małgorzata, wdowa po Andrzejku, wraz z piątką sierot bohatersko wiąże koniec z końcem* będzie na pewno ciekawsze od żenady, jaką jest moje życie w show-biznesie.

A jednak – wybrano mnie. Biskup na mnie skierował swój upierścieniony palec. Jakbym palnął w wysoko notowaną poprzeczkę, przedarł się przez mrygającą bramkę i teraz oto przy brzęczeniu i bzyczeniu, przy całym tym kosmicznym wizgocie nabija mi mnóstwo punktów, już odpadam, by lecieć w dół, i znów wlatuję w kombinację dzwoneczków, które grają, walą, a cyferki na górze wariują od zmian. Kulka podskakuje z nienaturalną lekkością plażowej piłki, jakby zapominając o prawach ciążenia. Żaróweczki błyskają. I raz jeszcze lecę do góry, raz jeszcze walę w dynamiczną sprężynę. Wybrano mnie. Właśnie mnie. I teraz, siedząc na lekko trzeszczącym fotelu w gabinecie biskupa, kiwam ze zrozumieniem głową, przekonany, że faktycznie jestem najlepszym kandydatem do tego rodzaju przedsięwzięcia.

Niezły numer! Wskazać właśnie mnie spośród setek kandydatów i złożyć taką propozycję!

Biskup z krzyżem ze sztucznego złota ma pofalowane, gęste siwe włosy, szarobłękitne oczy i pełne, lubieżne usta, jakby stworzone do delektowania się tłustymi potrawami i żłopania ciężkiego wina. Wygląda dokładnie tak, jak powinien.

Czemu na wszystkich obrazach biskupi wyglądają tak samo? Dlaczego ich wady biją tak wyraziście w oczy? Ich lubieżność, przebiegłość, nieumiarkowanie w jedzeniu i piciu, dlaczego to wszystko aż krzyczy ze starych i nowych płócien? I czy oni tego nie widzieli? Przecież malarze robili te wielkoformatowe dzieła na ich zamówienie. Jak to się działo, że wychodzili im tak obleśnie? Nie każdy z artystów był wszak przebiegłym geniuszem, który pod pozorem sztuki dworskiej uprawiał demaskatorską publicystykę. A wyglądało na to, że wszyscy malarze byli sługami karnawału i dla pocieszenia prostych, biednych ludzi pokazywali, że los możnego biskupa jest już przesądzony: panowie świata tego i książęta Kościoła zostaną strąceni w czeluście piekielne. Bo choćby się nie wiem jak starali pacykarze całego świata, choćby chcieli nagiąć swój talent czy smykałkę do zamówienia, zawsze wychodziło to samo. Portret podłego sybaryty, rozpustnika, lubieżnika, obraz fałszywego apostoła, zdrajcy ewangelicznej prostoty. Nawet jeśli twarz hierarchy miała jakieś pozytywy, były to raczej drapieżna inteligencja, spryt i stanowczość niźli franciszkańska miłość. Cała kultura, wszystkie obrazy zgromadzone w europejskich galeriach i wiszące w bocznych nawach kościołów, wszystko krzyczy jednym głosem: biskupi to fałszywe owce, faryzejskie nasienie.

Ale okay, ten nie jest najgorszy. Jeśli grzeszy, to chyba głównie przy stole, wcinając różne specjały, niedostępne gawiedzi, którą on bierzmuje, chrzci, napomina, poucza, karci. Dla mnie ma super ofertę, która powinna zresetować w mojej głowie wszystkie złe myśli na jego temat. Cenzuruję więc je w sobie, ograniczam, ściskam i tylko niektóre przedostają się do mózgu. Mimowolnie jednak zastanawiam się, czy przy porannej toalecie nie jest on wściekły na niewątpliwą gnuśność wypisaną na swym obliczu, czy mięsiste wargi nie doprowadzają go do pasji, czy nie starał się nigdy narzucić sobie diety albo pójść na jakąś wykańczającą pielgrzymkę, która by nieco wyszlachetniła jego facjatę. W porządku, wszyscy mamy kłopoty z twarzami: pokazują zazwyczaj nie to, co byśmy chcieli na nich wypisać. Taka widać karma.

Biskup, trzeba przyznać, długo nie kluczył, jak na biskupa rzecz jasna. Najpierw popisał się niezłym researchem, pytając, jak się mają dzieci, potem uraczył mnie pięciominutowym, kompletnie niezrozumiałym wykładem o tym, jak to różne frakcje, pewni hierarchowie... że istnieją siły w episkopacie i poza nim, które wolałyby... No cóż, nauczyłem się, czy to w rozmowach z politykami przy kampaniach, czy z biznesmenami, dla których robiłem różne eventy, wyłączać swoje receptory, gdy faceci zaczynają mówić jakimiś dziwnymi zdaniami i co chwila wrzucać, swoje „nieprawda?" albo „jak pan wie". To jest rytuał przygotowawczy, rozgrzewka, coś, co musi być odprawione, zanim gość przejdzie do konkretu.

– Ojciec Święty jest bardzo chory...

O, tu cię mam – pomyślałem zawiedziony – znowu trzeba będzie wyprodukować jakiś wzruszający koncercik pieśni religijnej „w hołdzie Papieżowi Polakowi”: pienia dzieci, nowa piosenka, a do tego te nieznośne wadowickie kremówki. Pełna cepelia.

– Ojciec Święty w zasadzie umiera. Jego śmierć jest kwestią tygodni, najwyżej miesiąca – mięsiste wargi biskupa odtańczyły przedziwny pląs, jakby triumf z powodu posiadania tak istotnej informacji mieszał się z konwencjonalnym smutkiem. – Zaprosiłem pana, bo chodzi o uroczystości pogrzebowe. Tu, w kraju. Załatwiliśmy... Jego Świątobliwość wie, że odchodzi, załatwiliśmy, że jego serce spocznie na Wawelu.

Usta biskupa nie przerywały dziwacznych drgawek. Niczym tłusty królik przeżuwał to, co przed chwilą powiedział. A ja byłem zdumiony swoją reakcją. Najpierw nadeszło wyostrzenie zmysłów. Usłyszałem odległe gruchanie gołębi, potem szum wody w rurach, wreszcie stwierdziłem, że w gabinecie jest stanowczo za dużo kurzu. Powietrze rozdzieliło się na poszczególne składniki: unoszący się pył, aromat kawy, igiełki lodu nierozpuszczone przez wściekle grzejące kaloryfery. Czułem całe wczesnowiosenne zmęczenie, lekki, niezdrowy pot i subtelny dreszcz przechodzący przez kości.

– Chodzi o to – kontynuował biskup – że chcielibyśmy, aby pan wyreżyserował nie tylko nabożeństwo żałobne, ale też całość imprezy: przemarsz z Błoni krakowskich, gdzie będzie msza, na Wawel, występy artystów, no, cały dzień uroczystości. Ludzie z Dzieła ręczą za pana. Liczę na całkowitą dyskrecję. Poza panem nikt nie może wiedzieć o przygotowaniach. Mam nadzieję, że za tydzień dostarczy pan zarys koncepcji i wstępny budżet. Oczywiście sprawę będą transmitowały różne telewizje, tym bardziej że... jest wiele przepowiedni, to wszystko teraz znowu odżyje, do tego ten terroryzm, wojna, więc ludzie są spragnieni.

A jednak! Tak, to ma być to! To ma być jedno z widowisk kończących świat. No bo skoro po naszym papieżu przewidziany jest jeszcze tylko jeden, to przecież wszystko może się skończyć bardzo, bardzo szybko.

Reżyserować koniec świata! Dodać swoje trzy grosze do potężnej katastrofy, która zakończy nasz żenadny żywot doczesny. Zostałem wybrany! Co mi tam konkurenci, dla nich górny pułap to jakieś dożynki, festiwal albo otwarcie spartakiady. A ja, proszę bardzo – koniec, kurwa, świata! Mówię to, ale triumf miesza mi się w głowie z poczuciem wielkiej jednak niesprawiedliwości. Iluż jest godniejszych ode mnie, iluż robiło świetne filmy religijne, ale biskupowi najwyraźniej chodzi o show, o spektakl, który poruszy miliony.

Marta, moja wielkobiuściasta szwagiera, miała rację: jestem farciarzem! Widzę jej szczupłą, pokrytą drobnymi pieprzykami rękę trzymającą wielki kielich z kalifornijskim chardonnay. Świętujemy urodziny któregoś z naszych dzieciaków, a ona, odgarniając z lekko wypukłego czoła grzywkę, mówi z uśmiechem, pod którym kryje się z trudem maskowany gniew:

– Wiesz co, Andrzej? Wy to macie takiego farta, że nawet na sądzie ostatecznym dostaniecie lepsze miejsca od innych – śmieje się, zadowolona z kunsztownej formy, jaką nadała swojej pretensji, a ja myślę: to przecież nie moja wina, że mam szczęście. Nie moja wina, że ten mechanizm działa tak prosto, prostacko, bezbłędnie.

Patrzę na jej podkrążone lekko oczy, wzruszam się jej kruchością i przemijalnością, a jednocześnie odtwarzam sobie ich wieczorne gadki ze szwagrem: och, im cały czas dobrze idzie. Popatrz, ile kasy trzepią. Mają piątkę dzieci, a żyją lepiej od nas. Tak, widzę to wszystko, całą tę metafizykę Marty, widzę, jak schludnie układają się do snu w ich mieszkanku bez odrobiny kurzu, gdzie wszystkie książki stoją na baczność, a wykrochmalona poszwa ma zawsze kanty od prasowania. Choć jej wypowiedź o sądzie ostatecznym ma być dowcipna i stanowić swego rodzaju komplement, czuję od niej podmuch mrozu. Ale czy jest zła na mnie? Czy może raczej jest to wściekłość na Pana Boga? Bo i mnie naprawdę trudno Go zrozumieć. W gruncie rzeczy zgadzam się z tobą, Martusiu moja najdroższa, znerwicowany chudziaczku. Zgadzam się z tobą. Jestem kijowym farciarzem. Totalnym. Kretyńskim modelem sprawdzania się w życiu różnych religijnych naiwności. Nie używałem – w przeciwieństwie do was – kondomów, napłodziłem piątkę cudownych dzieciaków, nie przejmując się, za co to wszystko utrzymam. Chodziło mi tylko o rozbuchany seks i miłość. Odpowiedzialnego planowania nie było w tym za grosz. A raczej było, tylko się nic nie sprawdzało: Gośka naciągała wyniki, mówiła, że dzisiaj w zasadzie pewnie można, i już lądowaliśmy w sypialni, w garażu, na stole w salonie, już zamykaliśmy się w piwniczce. To po prostu było nieustanne święto płodności. Napalony zapominałem o kasie, o tym, że trzeba by przybastować, bo dzieci przecież kosztują. A potem nagle znajdowałem się w fantastycznej robocie, spotykałem wspaniałych ludzi, którzy za mnie zaczynali rachować pieniądze i przynosili je pełnymi garściami... Jeszcze miesiąc wstecz wysyłałem Gosię do Marty, by załatwiła od siostry jakąś pożyczkę, a za chwilę podjeżdżałem nowiutkim vanem pod ich mieszkanie i demonstrowałem dwójce ich synków, jak działają światła przeciwmgielne.

Rzeczywiście farciarz ze mnie. I to religijny. A taki farciarz to zawsze jednak argument przeciw Panu Bogu. Jestem pieprzonym faryzeuszem, bohaterem naiwnych psalmów. Pieśni, budzących zawsze mój intelektualny sprzeciw, które mówią, że facetowi przestrzegającemu prawa dobrze się wiedzie. *Małżonka jak płodna latorośl, synowie wokół Twego stołu.* I wszystko układa się tak doskonale, że po pierwsze, zastanawiasz się, kiedy w ciebie pierdzielnie i staniesz się Hiobem, po wtóre, myślisz: nie, to wszystko za proste. Nie jesz mięcha w piątek, nie zakładasz gumek na siurka, w niedzielę ganiasz na mszę, modlisz się rano i wieczorem o małe co nieco, i się wiedzie. Tak dobrze, że aż kręci się od tego w głowie. A jednocześnie przecież widzisz, że to wszystko niesprawiedliwe, na wyrost, absolutnie nienależące się tobie.

Ale może jest tak - kombinuję - że ponieważ mało ludzi bawi jeszcze przestrzeganie Prawa, to i strumienie łaski, jakie zlewają się na takich osobników, są obfite... Kto wie, może to właśnie tak działa.

godzina 10.25

Zbiegam po biskupich marmurowych schodach, powtarzam jak refren: koniec świata - będę reżyserował - koniec świata, a poły mojej marynarki od Ermenegildo Zegny powiewają od pędu. Oczywiście, że wiem, w jakiej marynarce i za ile kupionej biegam. Tak, wiem, jakie mam metki na portkach. Tak, imponuje mi pikanie pilotem od centralnego zamka mojej alfy. Jestem nuworyszem, jestem newcomerem, wyposzczonym wieloma latami życia w komunie. I teraz zaspokajam dziecięce apetyty. Muszę mieć levisy 501, muszę mieć ray bany, muszę mieć telewizor sony, muszę odreagować te ileś tam lat lizania przez szybę wielkiego, pięknego, kolorowego świata. Każdy z nas musi. Takie rzeczy, jak laptopy, palmtopy, organizery już mnie tak do końca nie biorą, to nowy wynalazek, nie łkałem za tym przez długie lata. Chociaż gdy słyszę melodyjkę oznajmiającą, że mam maila, owszem, robi mi się całkiem miło.

Pamiętam scenę z połowy lat osiemdziesiątych: Małgocha z Martą pochylone nad katalogiem wysyłkowym Neckermanna z błyskiem w oku oglądają towary, na jakie nigdy nie będzie nas stać. Poczułem złość, smutek i pogardę. Ta wiązka uczuć była po prostu wynikiem mojej bezsilności jako samca. Wiedziałem, że nie jestem w stanie dostarczyć im tych towarów, przynieść z łowów takich łupów, więc wkurzał mnie ich materializm, tandeta niemieckich modelek, ohyda kolorów. I teraz muszę odreagowywać. Sorry, ale takie jest życie. Zbiegam po schodach i jestem szczęśliwy.

Euforia mija, gdy tylko wychodzę na dziedziniec. Oślepiony ostrym wiosennym słońcem czuję, jak do mojego mózgu przedziera się przez pokłady samozadowolenia ta straszna wieść: oto ma odejść papież. Nasz papież. Obserwuję swoje uczucia, jakbym słuchał zwierzeń kogoś innego. Oczywiście górę bierze egoizm. A więc to koniec? Koniec mojej młodości. Koniec mojego życia. Papa Wojtyła, który został wybrany, gdy miałem szesnaście lat, ciągnął i ciągnął mnie aż do czterdziechy, i dociągnął. I oto stoję teraz na tym podwórcu, obok granatowego volvo księdza biskupa, i czuję, że odchodzi ojciec i zostawia mnie, starego, już ulepionego, i w gruncie rzeczy żaden bunt ani żadne dopełnienie się nie zdarzy. Przebalowaliśmy razem te dwadzieścia kilka lat, ty, drogi ojcze, odchodzisz, misję swą spełniłeś, aż z naddatkiem spełniłeś, a ja, cóż, zestarzałem się z tobą i nie dojrzałem: ani do buntu, ani do rozumnego posłuszeństwa. Mam ci teraz zgotować pogrzeb?

Okay, to mogę zrobić. Wyrychtuję taki, że przebije się nawet przez te wszystkie znaki wieńczące koniec świata. Naprawdę - ludzie to zapamiętają.

Znowu odzywa się jakieś ćmienie w żołądku, przystaję i wsłuchuję się w swój organizm, ale co można wywnioskować z tych bulgotów poza ogólnym wrażeniem, że coś tam jest nie tak? Czyżbym miał skończyć swój żywot razem z papieżem? Ale czy my wszyscy nie skończymy już wkrótce?

Nasz świat i jego koniec... Zupełnie to jednak niepoważne. Kończy się i kończy, i skończyć nie może. Przepowiednie jedna po drugiej biorą w łeb, a jeśli niektóre się nawet spełniają, to nie w pełni zgodnie z groźbami. Nawet Fatima: Kościół dzierżył w odwodzie trzecią tajemnicę, kardynałowie niczym egipscy kapłani wydawali groźne pomruki, marszczyli się, robili znaczące miny, trzymali w szachu zabobonny lud i polityków gmerających paluchami w teczkach z kodami do broni jądrowej, a gdy wreszcie ujawniono treść widzenia portugalskich dzieci, to co się okazało? Że niewypał! Niewybuch! Nic tam nie było. Całe powietrze uszło gdzieś bokiem. Flak. Nie huknęła ta torebka, co miała grzmotnąć. Szampan nie wystrzelił! Wszyscy się skulili, twarze zastygły w grymasie, myśleli, no, teraz to dadzą nam popalić, a tu nic! Z kompromitującym psykiem, z jakimś niestosownym czknięciem otworzyła się ta butelka z tajemnicą. No bo co? Okazało się, że straszliwie naciągając te obrazy, miksując czasy, miejsca i zdarzenia, można to odnieść do osoby Jana Pawła II. Że cierpiał w zamachu i że totalitaryzm runie. Ale to wszyscy wiedzą. Przecież mieli nam dać popalić, żeby w pięty poszło. Koniec świata, zagłada nuklearna? Nic z tych rzeczy. Czyli hulaj dusza, strachy na lachy!

„Widziałem cię pod drzewem sykomory" – tak jakoś powiedział Jezus, powołując któregoś z uczniów, i tylko oni dwaj wiedzieli, o co chodzi. Gdyby do mnie biskup rzekł: „widziałem cię w kościółku w Augustowie", też bym wiedział.

Stałem w przedsionku, głosy uczestniczących w nabożeństwie dziwnie się oddaliły, a ja czułem, że znów ogarnia mnie fala przeczuć na temat końca świata. Był Wielki Tydzień 1999 roku, według kolejnych przepowiedni ziemia miała się rozpirzyć chyba 11 sierpnia. Na Bałkanach nawalali się na całego i wiadomo było, że zaraz wszystko eksploduje. Stałem więc w tym kościółku, był Wielki Piątek. Fioletem przesłonięte krucyfiksy, klekoczą kołatki, a mnie ogarnia potężne wzruszenie. Może z głodu, z powodu całodniowego postu? Wzruszenie i wściekłość. Jak po przegranym meczu. Że wszystko na nic. Że mieliśmy podane jak na tacy całe to przesłanie Chrystusowej miłości. Że mieliśmy przed oczyma to, co Hieronim Bosch zamknął w swoim kwadratowym obrazie z umęczoną twarzą Jezusa. Że mogliśmy się rozpoznać w potwornych gębach szyderców prowadzących Baranka na rzeź. Mieliśmy to przez tyle wieków przed gałami: że się straszliwie krzywdzimy nawzajem, a trzeba się kochać, tylko kochać, ze łzami kochać. I niczego z tym przesłaniem nie robiliśmy. Pozwoliliśmy wyrobnikom od filozofii i sztuki tworzyć dzieła zupełnie nie na temat, jakby niewinna ofiara Baranka w ogóle się nie dokonywała. Pozwalaliśmy sobie żyć, jakbyśmy nie byli zbawiani, jakby Jezus Chrystus nie umierał wciąż za nas i nasze grzechy. I ja, i każdy z nas przepultywał swój czas i jego facjata upodobniała się do tych Boschowskich gąb. Potwornieliśmy z miesiąca na miesiąc: jedni odziani w szatki inkwizytorów, inni beznadziejnych mędrców, jeszcze inni zabieganych dorobkiewiczów. Oparłem głowę o malowaną na olejno ścianę, w lodowatym chłodzie wieczoru resztki aromatu sosnowej puszczy mieszały się z ledwo wyczuwalną wonią kadzidła. Czułem, że się trzęsę. I jest mi wstyd. Mieć przed gałami takie przesłanie. Widzieć niewinnego Baranka bez skazy. Weronika odchylona trochę do widza pokazuje odbitą na chuście Jego twarz. I przepultać swój czas!

Gdyby biskup rzekł: „widziałem cię w Augustowie", wszystko byłoby jasne. Ale nic nie powiedział, a mnie przecież później odpuściło i kiedy wreszcie przyszedł ów naznaczony dzień, 11 sierpnia 1999 roku, i planety na niebie miały ułożyć się w wielki krzyż, a słońce ulec zaćmieniu, stałem w firmie i zaśmiewałem się wraz z innymi, rozlewając szampana, z oczyma łzawiącymi od śmiechu i wpatrywania się w niebo przez czarną szybkę.

– I co tam?! – krzyczy do Martyny Maciek. – Przestań się tak wpatrywać, bo ci oczy wypali. Chodź na szampana!

– Tak po mojemu – mówi Martyna, starając się nadać głosowi cwaniackie brzmienie – to nasza gwiazda nieźle popierdala po nieboskłonie. I nic!

Wybuchamy śmiechem, strzela następny korek...

Mimo apokaliptycznych przeczuć i dreszczy nie miałem przecież gotowego konceptu na pogrzeb papieża. O nie, w tym jednym się różniłem od setek polskich publicystów wszelkiej maści, których szuflady są pełne pośmiertnych wspomnień o Janie Pawle. Nie, nie byłem jak redaktorzy wszystkich telewizji, którzy mają już ramówki przygotowane na wypadek „dnia zero" i zestawy gości, gotowych na jeden dzwonek telefonu zjawić się w zaimprowizowanym niby-studiu. Nie byłem jak spikerzy wiadomości ćwiczący przed lustrem odpowiednio nabożne i ponure miny, mierzący czarne krawaty i ciemne garnitury. Nie, nie. Byłem totalnie zielony. Żadnego efektownego chwytu, żadnego tytułu, hasła. Zero. Pustka. Tylko własna biografia, jakże odmienna od przeciętnej, to znaczy bardzo przeciętna, ale na mój indywidualny sposób. Żaden z tego materiał na wielką imprę, żaden trop.

A zresztą jest jeszcze dodatkowy kłopot, bo przecież nie wiadomo, czy coś nie odmieni się nagle, z dnia na dzień, i czy ludzkość nie zafunduje sobie – po znanych obrazkach World Trade Center - nowych widowiskowych emblematów grozy. Czy ściągane za wielkie pieniądze maszyny do robienia dymów i stroboskopy mające uświetniać uroczystości pogrzebowe nie zostaną nagle przyćmione kosmicznymi ogniami i czy po prostu nie zdetronizuje mnie sam Wielki Reżyser?

Załóżmy jednak, że nie. Róbmy to po Bożemu, czyli tak, jakby nic się nie miało wydarzyć. Jakby przepowiednie dotyczące końca świata na zawsze miały pozostać tylko pogróżkami nabijającymi kasę wydawcom tandetnych broszurek sprzedawanych po dworcach. Czuję pod palcami szorstki papier, na jakim drukowane są te niedoredagowane teksty, wdycham smród farby z dodatkiem jakiegoś płynu do mycia naczyń, jak przy drukowaniu ulotek.

Zasadą, która organizuje tego typu wielkie widowiska, jest jeden mocny akcent. Nierozdrabnianie się. Trzeba skumulować środki i wykonać jakąś wielką cytrynę, macdonaldsowy łuk albo megaoko. Liczy się gadżet. Emblemat. Trzeba postawić jeden akcent. Może to być motyw muzyczny, dominujący kolor, może utwór, może znak. Ale to musi być coś jedynego, co wtłoczy się ludziom do głów, powieli w milionach egzemplarzy, coś, co zostanie. I tak jak przy wszystkich tego typu kreacjach, najpierw po prostu trzeba się otworzyć, podchwytywać najgłupsze choćby rady, łapać coś, co wisi w powietrzu, przeglądać albumy zupełnie niezwiązane z tematem, sięgać po książki i kasety całkowicie od czapy. To coś musi nadejść. Można się oczywiście naćpać, uwalić alkoholem, lepiej nawet poprosić o to innych i wykorzystać ich zatrucie. A potem - konsekwencja, konsekwencja, konsekwencja.

godzina 10.35

Szuwara łapie się na pager. Kto oprócz niego nosi jeszcze pagery? Chyba tylko lekarze w drugorzędnych serialach telewizyjnych. Oddzwania bardzo szybko i wyznacza mi spotkanie. Za czterdzieści minut. Nie pyta, o co chodzi, bo jakiś miesiąc temu na schodach u dominikanów sam rzucił, że powinniśmy pogadać.

Szuwar jest dziwny. Bardzo dziwny. Nieliniowy. Może dzięki temu potrafi trzymać w ryzach ileś tam osób pracujących na niego. Kiedyś tworzył eksperymentalne środowisko „ga-Galerii", był liderem grafficiarzy i ich ideologiem, mistrzem poszukujących artystów: plastyków, poetów, muzyków. To on tworzył niepokojące swoim minimalizmem ideogramy, które umieszczał na ścianach zabytkowych budynków. On firmował słynny napis w centrum Warszawy „Baranku Boży... odpierdol się". Wyklinany, znienawidzony przez kulturalny i religijny establishment, teraz po głośnym nawróceniu i publicznym wyznaniu swoich win jest jedną z najważniejszych osób w środowisku nawiedzonych.

Jego odejście od lewaków do religijnych ortodoksów spowodowało, rzecz jasna, szyderstwa i krytykę, ale wbrew powszechnym oczekiwaniom nie został odrzucony przez media. Tak jakby ludzie z kręgów kulturalnych bali się Szuwara, jakby mając nieczyste sumienie, chcieli jednak go wysłuchać, dopuścić do głosu. Dlatego mimo aury zwyczajowych i całkiem przewidywalnych kpinek Szuwar od czasu do czasu wyłania się i łapie czy to w telewizji, czy w prasie swoje pięć minut.

Konwersja Szuwara była zresztą czymś bardzo opłacalnym dla elit kulturalnych. Oto pozbyli się gościa, który emanował niezwykłą energią i kwestionował zastałe hierarchie czy to w literaturze, czy w sztuce. A w dodatku miał niezwykłą intuicję. Przez jego „ga-Galerię" przewinęli się wszyscy najważniejsi debiutanci, którzy teraz, spacyfikowani przez starszych działaczy kulturalnych, jedzą im z ręki i tworzą mainstreamową kulturę. Są wydawani, fetowani, jeżdżą na międzynarodowe sympozja i wystawy, trafiają nawet do podręczników.

Dla osób o innej wrażliwości Szuwar to zwykły hochsztapler. Tak jak dawniej w „ga-Galerii" zajmował się zjawiskami nadprzyrodzonymi, wszelkiego rodzaju przekroczeniami, aurami, magią, totemami i New Age'em, ciągnie to i teraz, ale wszystko ma znak ortodoksji. Opowiada więc o cudach, znakach, przeczuciach, ale przecież jest to jak ciągle ta sama historyjka, nie jego własna, tylko kogoś z boku, może z bliskiego sąsiedztwa, jednak zawsze kogoś innego. Spotyka się go w okolicach przeróżnych wspólnot charyzmatycznych, jest zaprzyjaźniony z liderami Odnowy w Duchu Świętym, bywa na głośnych i ekscentrycznych dniach skupienia. Sam Szuwar – smakosz przekroczeń, nie ma, jak się zdaje, na swoim koncie jakichś spektakularnych cudów. Jest za to fantastycznym intuicjonistą. Ja siedzę, ślęczę nad *Macdonaldyzacją społeczeństwa*, kombinuję, co i jak, a potem w kościele, będąc z dziećmi na pierwszym piątku miesiąca, natykam się na Szuwara: sunie do komunii, śpiewając, ile sił w gardle, jakieś staruszkowe pienia typu „Słuchaj, Jezu, jak Cię błaga lud". Śpiewa to serio, nie bierze w żaden cudzysłów, a ja wiem, że nigdy nie przeczyta głębokich analiz o macdonaldyzacji i globalizacji, [illegible] po co, skoro wie, gdzie leży ocalenie. I wie, że trzeba śpiewać. Chociażby z wdzięczności do babci, która modliła się kiedyś o nawrócenie krnąbrnego Szuwarka.

Zazwyczaj po spotkaniach z nim przez dzień–dwa choruję, no ale trudno, to niewątpliwie numer jeden w mieście, facet, który naprawdę mógłby mnie zainspirować.

Spotkanie wyznacza w knajpie wegetariańskiej pod nazwą „Moc" ukrytej gdzieś na Mokotowie wśród krzywych, jeszcze peerelowskich chodników, między akademikami SGH i SGGW.

godzina 11.15

Już jest. Siedzi rozparty we flanelowej fioletowej koszuli z cienkim rzemykiem na szyi. Z blond włosami spiętymi w kitkę, rzadką brodą i wąsami chciałby pewnie wyglądać nieco chrystusowato, ale mnie kojarzy się raczej z jakimś wiejskim grajkiem. Mam nieodparte wrażenie, że gdzieś w kieszeni skrywa wierzbową fujarkę albo drumlę i zaraz przycupnie sobie gdzieś z boczku i zagra. Jego szara cera i zapadnięte policzki są wielkim oskarżeniem mojego zabiegania o rzeczy świata tego. A Szuwar zwyczajnie olewa. I w tym jest siła. Siła i spokój. I tylko dziwne usta wyginające się w grymasie sygnalizują jakieś obrzydzenie, zniesmaczenie światem.

Sam Szuwar wegetarianinem nie jest, wiem o tym dobrze od jego współpracowników, którzy kiedyś, gdy przygotowywałem dla Dwójki program o „ga-Galerii", poinformowali mnie z kamiennymi twarzami, że ich dyrektor naczelny jest zwolennikiem wegetarianizmu, ale niestety lekarz zalecił mu spożywanie mięsa. No i co? Miałem wykrzyknąć im w twarz: ha, ha, ha, toć to Führer był lepszy od waszego guru, bo praktykował wegetarianizm? Gdzie tam, kiwnąłem głową i odszedłem. A teraz? Siedzi i patrzy na mnie spokojnie swoimi szarymi oczyma. Szare oczy, szara cera, pełen spokój.

Zapadam się w wiklinowy fotel i już wiem, że znowu powtórzy się to co zawsze. Będę w defensywie. Wysłucham lekcji, będę potakiwał i nie ośmielę się zaprzeczyć, choćby mój intelekt wysyłał jak najmocniejsze sygnały, choćby kopał mnie wyśmienitymi zwischenrufami, smagał ciętymi ripostami, oferował smakowite przewagi. Nie ośmielę się przerwać, a zresztą – przypominam sam sobie – jestem tu, aby się zainspirować. To oczywiste, że Szuwar stoi wyżej ode mnie w rozwoju duchowym i przeżywa wszystko intensywniej i głębiej.

Jest realnym znakiem sprzeciwu, uczynił ten krok, podjął wyzwanie, podczas gdy ja swój katolicyzm wprawiałem do walki podjazdowej, partyzanckiej. On prowokował, chwalił staruszki odmawiające różaniec, nosił krzyżyk na piersi, głośno wyznawał swoje winy z okresu kontrkultury. Wiem, że mimo wszystkich śmieszności, mimo niedoróbek intelektualnych, będzie zbawiony. Tego jestem pewien. Tak przecież musieli funkcjonować apostołowie: w oczach pobożnych nawet faryzeuszów byli prostakami, brakło im giętkości umysłu, wykwintnych manier. Podejrzewam, że niespecjalnie było też u nich z poczuciem humoru. Zamykam więc mordę i witam go naprawdę serdecznie. On odrywa się od przeglądania jakiejś prasy lansującej zdrowy tryb życia i niespodzianie rzuca oburzony:

– Widziałeś? – i podsuwa mi zdjęcie ekstra wysportowanej laski. – Amerykański przemysł pornograficzny lansuje anorektyczne dziewczyny. Nawet w pismach zdrowotnych!

Patrzę na fotkę rzeczywiście nieco wyżyłowanej niewiasty, ale nic nie mówię.

– To wszystko zmowa pederastów, żeby odrzeć kobiety z resztek godności. Żeby przeciąć związek między miłością a macierzyństwem. Chłopaczkowate wydry! – Prycha z odrazą, a ja uświadamiam sobie, że jego Ela rzeczywiście jest nieco przy kości. Ale moja Gonia, chudzinka kochana, mimo urodzenia mi pięciorga dzieci kusi tym właśnie, co imponuje gejom zza oceanu. Chudością na granicy anoreksji. Kocham jej wyraźnie zarysowane kości miednicy, uwielbiam jej talię, miłuję wystające żyły na rękach. A gdy czasem schyla się i widzę kościste węzły jej kręgosłupa, to przecież wręcz zapiera mi dech z wrażenia i podróżuję myślami do kobiet Egona Schiele i Modiglianiego. Ale to teraz nie ma znaczenia. To szczegół. Szuwar brnie dalej: – Czy takie chude kobiety mogą rodzić dzieci? Przecież to wszystko cywilizacja śmierci!

I ja nie zaprzeczam. Dlaczego?! No właśnie, tak jest ze wszystkim: bo przecież ogólnie Szuwar ma rację. Ideał kobiecego piękna dyktowany przez pederastów z pracowni mody urąga wszelkim normom. Chude wydry niespecjalnie konweniują z modelem wielodzietnej rodziny, wąskie talie nie przywodzą na myśl rozrodczości. Tylko że akurat to mnie bierze! I gdy drżę w ekstazie przy chudej mojej Gosi, wiem, że jej kruchość to znak rozpoznawczy i fetysz mojej miłości. Nie mogę stanąć w szeregu krzyżowców Szuwara. To znaczy teoretycznie tak, jestem za, ale on ma jedno dziecko, a ja piątkę. Cóż na to poradzę, że biorą mnie chude szczapy, anorektyczne nogi, wystające mostki, budzące litość piersi i niełatwo byłoby mi się ich wyrzec. A jednocześnie wiem, że on, wielki i proroczy Szuwar, generalnie ma słuszność. Zerkam raz jeszcze na wysportowane ciało anonimowej modelki i myślę sobie: nie no, nie mogę, niezła jest.

A Szuwar nagrzewa się i ciągnie swój monolog, dryfując tym razem w kierunku osobistych przeżyć i roli, jaką chce odegrać w najbliższej przyszłości. Zachęcony przez niego sięgam po menu, by potwierdziło się to, co zauważyłem już parę lat temu. Że wegetariańskie knajpy to wielka metafora naszego katolickiego podejścia do życia. Te królestwa kaszy gryczanej, pieczarek i soi oferują ersatze dla ludzi, którzy postanowili nie jeść mięsa, ale myślami wciąż pozostają w krainie schabowych, gulaszów, żeberek, kiełbas i pasztetów. Jest więc wszystko, czego grzeszna mięsożerna dusza zapragnie, tylko że sztuczne, zrobione z soi i grzybów: można zjeść i mielonego z fasoli, i bigos na pieczarkach, i schaboszczaka z tofu. To tak jak z naszymi chrześcijańskimi ersatzami: niewyzwoleni z ziemskich przywiązań mamy tysiące sposobów obejścia zakazów i czerpania drobnych drażniących przyjemności z doczesnych zaangażowań.

Wegetariańska knajpa oczywiście czasami błądzi, jak to nieraz zdarza się Kościołowi. Pamiętam aferę sprzed kilku lat, nim wybuchła sprawa wściekłych krów. Jakiś drobny okularnik, ukrywający swe wątłe ciało w luźnej kraciastej marynarce, odnalazł w jadłospisie niewinnie wyglądające galaretki i jogurty.

I od razu wielka awantura o to, że karmią go tu pochodzącą od zwierząt żelatyną. Grupka konsumentów, która jeszcze przed chwilą była w raju, a w każdym razie w stanie łaski uświęcającej, uważnie przysłuchuje się coraz głośniejszej wymianie zdań. Milkną obiadowe rozmowy przy różnych fantazyjnych, ekologicznych, zrobionych z bambusa stolikach. Kelnerki - studentki z pobliskich akademików, zazwyczaj rozbrajająco niezgrabne w usługiwaniu, ale pełne uroku rozkwitających dziewcząt - poszeptują między sobą. Wreszcie ich liderka, dorodna ciemnowłosa dziewucha w ciemnobordowej sukience i mocnych glanach, próbuje potraktować rzecz zdroworozsądkowo: cóż tam żelatyna, przecież to zwykły zagęszczacz, ile tego tu wchodzi. Jej mocne białe zęby, zdrowa cera i grube, ściągnięte w niedługi warkocz włosy stają się silnym argumentem za tak rozumianą ekologią. Ale nie dla klientów „Mocy"! Do tych wyznawców wegetarianizmu zaczyna docierać straszliwy fakt, że przez całe tygodnie w nieświadomości swej konsumowali mięsne potrawy. I to tak przy okazji, by the way, niezobowiązująco, na deserek albo przystawkę! Przekroczenie staje im przed oczyma coraz wyraźniej, coraz jawniej w całej swojej ohydzie! Przed chwilą wyprostowani i promienni świętym światłem przyjaciół całej natury garbią się i blakną, a buńczuczne deklaracje składane na spotkaniach, przy świątecznych stołach, na kempingach, iż od trzech lat nie brali do ust padliny, okazują się, obiektywnie rzecz biorąc, zwykłym oszustwem. I nagle po tylu wyrzeczeniach, po wchłanianiu tych wstrętnych wiórowatych świństw, mdłych drugich dań, obrzydliwych wodnistych zupek stają się takimi samymi żarłokami, takimi samymi zbrodniarzami jak koleżka kiełbasożerca, wątróbkokonsument, kurczakokiller. Czyż nie tak może być z nami podczas Sądu? Tyle wyrzeczeń na nic. Bo jakiś kutas dodał żelatyny do deseru!

Knajpka dźwignęła się jednak z żelatynowego kryzysu i gdy gruchnęła wieść o epidemii wściekłych krów, jej bywalcy mogli sobie głośno gratulować wyboru. Znak Boży wskazujący słuszność obranej diety został dany. Pochyleni nad ręcznie malowanymi talerzami z kaszą gryczaną i szpinakiem radośnie komentowali najnowsze doniesienia z Wielkiej Brytanii.

AIDS, BSE – przecież i dla mnie te skróty oznaczały bezpośrednią Bożą ingerencję w nasze bezmyślne wegetowanie. Tylko ktoś bezmiernie ogłupiony liberalną propagandą aprobował dyrdymały gazet karcących jednego czy drugiego księdza, który ważył się na powiedzenie tego, o czym wiedział każdy: że HIV to kara za zboczenie. Wszyscy mieli jasność, ale bali się mówić jakby z lęku, że uznanie tych epidemii za Boże znaki może ośmielić Stwórcę do kolejnych kroków. A tak – kombinowaliśmy sobie, lepiej udawać, że nic się nie dzieje. Może burza przejdzie bokiem.

Szuwar oczywiście nie milczał. Udzielił wtedy głośnego wywiadu „Energii" pod tytułem *Żyjemy w czasach ostatecznych*. Wszedł w rolę natchnionego proroka, użył biblijnego określenia „sodomia" i znów uszło mu to prawie na sucho. A ja wówczas – co? Siedziałem jak mysz pod miotłą, oczekując innych znaków. Ale jakie znaki ma jeszcze dać Pan?

– Wiesz – mówi Szuwar miękkim głosem, w którym pobrzmiewa jakiś zaśpiew urazy – teraz po nawróceniu, gdy już stale przystępuję do komunii, to pełny odjazd, to są takie przeciążenia, że ja fizycznie wręcz czuję ataki Złego.

Patrzy na mnie, potakującego i spuszczającego wzrok z zakłopotaniem, grzebię widelcem w tej kaszy gryczanej z pieczarkami, oblizuję usta z kefiru, bo naprawdę czuję się przeceniany tą szczerością. Ale okay. Chciałem się inspirować. No to mam. Nagle mnie, rutynowemu katolikowi, który najchętniej na co dzień obyłby się bez tych wszystkich cudów, nadzwyczajności i wiódł spokojne bydlęce życie, owszem, przystępując co niedziela do komunii, ale bardzo proszę, bez ekscesów, bez jakichś spektakularności, facet opowiada szczegóły ze swego życia wewnętrznego. Przecież dzień w dzień modlę się o małe miłe życie, o malutkie nic złego dla mnie i mojej rodziny, a ten nagle wyskakuje z takimi tekstami. Mówi do mnie jak do wtajemniczonego. To prawda, widuje mnie w kościele, pamięta pewnie delikatne moralne wątpliwości, jakie rozsiewałem wokół jego „ga-Galerii” w czasach, gdy było to rozkwitające totalnie lewackie przedsięwzięcie, teraz jednak wyraźnie mnie przeszacowuje. Ciągnie swoje wyznania, a ja choć wiem, że i tę rozmowę przyjdzie mi odchorować, nie przerywam, bo niby jak miałbym to zrobić.

– W piątek była ta wielka ulewa. Najpierw się strasznie ociepliło, prawie lato przyszło, a potem lunęło. I biegłem w sandałach po kałużach różnych. Kompletnie mokry. Dotarłem do domu. Ela mnie wita w przedpokoju i na mój widok krzyczy przerażona. Ja zupełnie nie wiem, o co chodzi, a ona wskazuje na podłogę. Widzę, że w lewą piętę wbił mi się wielki kolec. Jak z drzewa cierniowego. A ja w ogóle tego nie zauważyłem. A tu mnóstwo krwi. I sterczy ten cierń. – Bierze oddech, zerka na mnie ostrym, badawczym spojrzeniem i kontynuuje, jakby dostrzegł na mojej twarzy zachętę. – Jestem przekonany, że to znak dla mnie, że moja lewa strona będzie zaatakowana. Pięta znaczy, pamiętasz: *on zmiażdży piętę*. On, czyli Szatan. Z Księgi Rodzaju. Wiesz – tu zniża głos do prawie konspiracyjnego szeptu, jakby diabły dysponowały jakąś po ludzku niedoskonałą aparaturą podsłuchową, którą można przechytrzyć – myślę, że w związku z naszą misją musimy się przygotować na wiele, wiele cierpienia. Bo tu będzie szło już na ostro, to jest końcówka. Sekty i innowiercy pociągną za sobą miliony ofiar. Te ostatnie zamachy, islamiści, to będzie się nasilało – wylicza rozmarzony, jakby wizja powszechnej apokalipsy dawała mu jakąś satysfakcję. – I sądzę, że ten cierń oznacza... nie wiem... że ktoś będzie do mnie strzelał albo może to będzie serce, trudno powiedzieć. – Przerywa jakby wzruszony własnym cierpieniem, no ale ja jestem już wstrząśnięty, choć wiem, że powtórzy się to co zawsze: będę, cholera, pod wrażeniem przez parę dni, a potem ostygnę i w duchu ponabijam się znów z tego Szuwara nawiedzonego, chwaląc swój malutki los. – Dlatego ludziom potrzebny jest jakiś bardzo wyraźny znak. Żeby nie uciekali do sekt, żeby nie tracili ducha. Bo: *jam zwyciężył świat*. – Mówi to tak, że nie słyszę, czy w ogóle postawił cudzysłów. Uśmiecha się. – Wierzę, że jesteśmy w stanie coś takiego zrobić.

Rozglądam się po przytulnym wnętrzu knajpki, na ścianach ponawieszano tu różnych miłych przedmiotów: obok dziecięcych rysunków inspirowane indiańskim folklorem plecionki, suszone bukiety, jednym słowem sugestia domowego wnętrza, gdzie z radością przychodzą przyjaciele, by napić się herbaty i pogadać. I ja przecież, jak w starej turystycznej piosence o bukowej chałupie, chciałem stworzyć przyjazny dom i żyć w otoczeniu kumpli, a zostałem w warownym osiedlu strzeżonym przez uzbrojonych strażników z elektronicznym podglądem zupełnie sam. Sam z moją rodziną i lękliwą modlitwą o małe nic złego. Jakby w odniesieniu do mnie, indywidualnie, sprawdzić się miała przepowiednia Fukuyamy o końcu historii: powalczyłem o wolną Polskę, rozrzuciłem trochę ulotek, podrukowałem podziemnych pisemek, powrzeszczałem na demonstracjach i oto wyczerpałem już swój limit dziejowości. I teraz tylko płynę, dryfuję i bardzo proszę, Panie Boże, o duży komfort, i bardzo proszę: bez żadnych wstrząsów. Myślę sobie tak, ale nie jestem pewien, czy to, co wyrobiłem w latach osiemdziesiątych, rzeczywiście wystarczy i czy w ogóle jest możliwy taki świat, takie życie. Spokojne bydlenie. Tak, „bydlenie", ten staropolski czasownik oznaczający życie, najlepiej oddaje stan mojej wegetacji.

Nie chciałem męczeństwa. Odrzucałem myśl o nim. Bałem się, że gdy dopuszczę możliwość mężnego wytrwania w cierpieniu, Pan ześle je na mnie. Napisano gdzieś bowiem, że zawsze Pan dostarcza mocy pozwalającej na znoszenie ucisku. A ja nie chciałem mocy, nie chciałem ucisku.

Przeglądałem albumy z holenderskim malarstwem, szukając potwierdzenia, że możliwe jest życie ustabilizowane, że możliwa jest trwałość przedmiotów, spokój domowego wnętrza. Zdawałem sobie sprawę, w jakim miejscu świata żyję, ale kombinowałem: może swoją dawkę zaangażowania i znoszenia przeciwności losu już odbębniłem? Przeżyłem przecież tyle lat w syfie i rozpadzie. Dlaczego Bóg nie miałby zlitować się nad gromadką swoich owieczek? Dlaczego nie miałby już odpuścić sobie...

No ale zesłał Szuwara. Szuwara z zaproszeniem do męczeństwa. Siedzi teraz naprzeciw mnie i wsuwa wegetariański bigos, pytając między jednym widelcem a drugim:

– Słuchaj, a co u ciebie?

No i co mam ci powiedzieć?

Że jak większość moich rówieśników około czterdziestki nie wiem dokładnie, kim jestem. Że owszem, dawniej, w czasach naiwnej młodości miałem jeszcze jakieś kiczowate wyobrażenie o sobie: raz byłem bojownikiem antykomunistycznym, kiedy indziej wnikliwym intelektualistą zadającym pytania światu, wreszcie gorliwym chrześcijaninem gorąco pragnącym zbawienia bliźnich.

A teraz – rozjeżdżam się. Kim innym jestem w pracy i tego siebie wbitego we włoskie garnitury, z ciężkim szwajcarskim zegarkiem na przegubie przecież nie traktuję serio, bo mam w zanadrzu strzępy wyobrażeń o tym, co zrobię, gdy wreszcie wyzwolę swoje prawdziwe „ja". Tylko że te wizje wciąż blakną i blakną, a chwila wielkiego spełnienia jakoś, kurwa, odpływa w niebyt.

Nie wiem, w jakim filmie gram. Czy to przedłużająca się końcówka dramatu, gdy po wielu perypetiach, przełomach, zwrotach akcji następuje sielanka: na twarzach pokazywanych w lekkim zwolnieniu wschodzi uśmiech, widzowie wzruszeni przeżywają swoje katharsis... Ale te napisy końcowe, po „Solidarności", po ohydzie stanu wojennego, po biedzie rozpadającej się, gnijącej komuny trwają już za długo. Dzieci rodzą się i cieszą rodziców, małżonkowie kochają się... Ile to może trwać?! Zapętlona muzyczka gra i gra, twarze rozciągnięte w uśmiechu drętwieją... Jak długo jeszcze?!

A może to jednak początkowe sekwencje jakiegoś katastroficznego fresku, gdzie prezentowane są stabilne rodzinki: trawniczek podlewany automatycznym zraszaczem, dzieci bawiące się na huśtawkach, odprężeni małżonkowie na pięć minut przed kataklizmem. Kicz szczęścia i apoteoza codzienności przygotowuje na cios. Widz z rozkoszą rejestruje elementy świata, które za chwilkę ulegną destrukcji. Z sadystyczną przyjemnością ogląda zadbane domki, które za chwilę zdmuchnie fala uderzeniowa, cieszy go delikatność kobiet, bezbronność dzieci.

W którym więc filmie występuję i kiedy mi się objawi odpowiedź na to pytanie?

Zgoda: udało mi się. Ale przecież każdy, kto dorastał w czasach gnijącej komuny, a teraz wylądował na czterech łapach w jakimś przyczółku kapitalizmu, musi to przyznać: udało się. Nikt już nas nie gania, nie strzelają do nas gazem łzawiącym, nikt nie rewiduje. Mogą nam nakukać. Gdy gliniarze z drogówki zatrzymują mnie do kontroli, biorę głęboki oddech, z radością konstatując: okay, nie drżę, nie mam przyspieszonego pulsu, olewam. To naprawdę jest wiele. Patrzę z uśmieszkiem na mundurowego stróża prawa i bez lęku podaję mu dokumenty, w których okładki powtykane są różne karty kredytowe. No właśnie, kosimy tyle kasy, że – jak mówi Maciek, szczerząc swoje olśniewające, zrobione za ciężkie pieniądze zęby – nie musimy się w sklepie szczypać z wyborem gatunku sera. Stać nas na każdy. Osiągnęliśmy niebo.

A jednak jadąc moją klimatyzowaną alfą, wracam myślami do tamtego siebie sprzed lat, gdy tłukłem się rozpadającym maluchem pożyczonym od taty, wpadałem w dziury w jezdni, mocowałem się z niesprawnymi pokrętłami od okien i przeklinałem wszystkich, którzy mnie wyprzedzali, podczas gdy ja po prostu cierpiałem... Wracam do siebie wożącego bibułę tą porozwalaną namiastką samochodu, wracam do siebie krościatego, nienawidzącego całego świata i zastanawiam się, kiedy byłem tak naprawdę szczęśliwy.

Cóż mnie dziś różni od czterdziestolatka z czasów komuny? W porządku, mogę się pocieszać, że wyglądam trochę lepiej od niego, młodziej czy też młodzieżowiej. Ale przecież jak on jestem facecikiem, który robi dokładnie to, co każe system. Tamten jako inżynier popierdalał na budowy, ja typowy do bólu promuję różne mało mnie obchodzące towary i wytwory.

Ta tęsknota za sobą samym sprzed lat, którą poczułem, ostro hamując na światłach dzielących Ursynów od Warszawy, tęsknota za szczeniakiem, za gówniarzem, za swoim wkurwieniem i nienawiścią, powraca do mnie już stale, gdy czekam na skręt z Rosoła w Dolinę Służewiecką.

Nie mogę o żadnej z tych rzeczy opowiedzieć Szuwarowi.

– U mnie po staremu – rzucam więc.

– Dzieciaki w porządku? – pyta, a ja czuję, jak oblewa mnie fala gorąca.

Co za kicz, myślę sobie. Szpanerzy chcą ze mną gadać o zegarkach, jak popiją. Podwijają rękawy marynarek i porównują, ściągają z przegubów, ważą w dłoniach. Ja muszę im zasuwać mój bajer o tradycji rodzinnej skazującej mnie na longinesa, oni prezentują te swoje omegi – raz jest to model Jamesa Bonda, kiedy indziej taki, co był na Księżycu, ale nie do końca, tamten model ma jakąś tam blaszkę i będzie sprowadzony specjalnie w przyszłym tygodniu, i tak dalej, i tak dalej. A Szuwar klasycznie, jak to katol: o dzieciach.

- Wiesz, dzieci to trochę taka bomba z opóźnionym zapłonem. Wychowujesz, wychowujesz i nie wiesz, co z tego wyrośnie.

- Ale pewnym rzeczom można jednak zapobiec.

- Chyba nie do końca. Dla mnie jest to walka z niewiadomym rezultatem.

Dzieciaki to rzeczywiście wielka niespodzianka.

wrzesień 1999

Pierwsza moja wizyta z Frankiem na basenie. Na regularnej lekcji pływania, nie jakimś tam pluskaniu w brodzikach, dryfowaniu w dmuchanych jaskrawo pomarańczowych rękawkach albo zjeżdżaniu z wielkich plastikowych rur. Chodzi o normalną, regularną lekcję pływania.

Teraz to już nie to samo co za naszego dzieciństwa, gdy nabywanie umiejętności stylowego pływania odbywało się w oparach chloru, w obiektach, gdzie dominującym zjawiskiem były ciągłe przeciągi i raptowne zmiany temperatur. W obowiązkowych białych kąpielówkach z płótna, przez które prawie wszystko było widać, dygocący z zimna, popychany długim kijem przeżywałem w miniaturze koszmar podobny chyba do szkoły kadetów. Zachłystując się wodą, wciąż z gęsią skórką na całym ciele, z sinymi ustami, opity chlorowaną wodą, atakowany wrzaskliwymi komendami odbijającymi się echem po całym obiekcie, przez cały rok przechodziłem straszne udręki, by dopiero w czasie wakacji docenić, czym jest radość swobodnego unoszenia się na wodzie.

Nie mogłem odmówić, gdy Małgosia poprosiła, żebym towarzyszył Frankowi na jego pierwszym basenie. Tym bardziej że Fra, którego nazywam swoją miniaturką, ma rzeczywiście wiele cech upodabniających go do mnie sprzed lat. Jest chudy, drobny i malutki, ma figlarny, zadarty lekko nosek i w ogóle wygląda dość mysio. Patrząc na niego, ze wzruszeniem widzę siebie w jego wieku i jestem przekonany, że pójdzie trochę moją drogą. Późno dojrzewając, nagromadzi w sobie sporo kompleksów, które go będą napędzać przez następne kilkanaście lat. Odbije się od tych zapętleń, poczucia niższości i wstydu, i przerobi je na niezłe paliwo. Tak sobie myślę – ojciec wychowany na prościutkich podręcznikach psychologicznych.

Zerkam we wsteczne lusterko. Siedzi w foteliku i z ciekawością rozgląda po Ursynowie. Po kilku minutach podskakujemy na wałach ograniczających prędkość na wewnątrzosiedlowej uliczce i parkujemy przed salą gimnastyczną.

Robię do Fra twardą minę, czekając, aż oswobodzi się z pasa.

– A torby to nie łaska? – rzucam przez zęby i już przedzieramy się przez ciężkie żeliwne drzwi do szatni. Ojciec z synem.

Tam zamieszanie straszliwe, bo okazuje się, że rodzice nie mają wstępu na płytę basenu. Taki jest regulamin i koniec, i proszę ze mną nie dyskutować. To szatniarka-mądrala. Grubawa, niespecjalnie wysportowana, ale przywalić pewnie potrafi. Można sobie popatrzeć przez okna w kawiarence. Tak robią wszyscy i nie będzie wyjątku. Podekscytowana grupa mamuś w kolorowych swetrach kapituluje, zadowalając się pozwoleniem na towarzyszenie swoim pociechom przynajmniej w przebieralniach.

Nie darowałbym sobie, gdybym miał ten pierwszy dzień Franka oglądać przez jakąś zapyziałą szybę, więc – jak zaplanowałem wcześniej – w szatni wkładam górę od dresu i krótkie sportowe spodenki, na nogi wsuwam klapki i niczym asystent trenera pewnym krokiem, popychając przed sobą mokrego Fraszaka, wchodzę na basen. Instruktora zresztą znam, kiwa mi głową i nie niepokoi, gdy siadam na ławce na wysokości startowych słupków.

Dzieciaki stoją w szeregu, wszystkie większe i tłustsze od Fra, który owinięty w ręcznik cały się trzęsie. Oczywiście, że mnie to rozczula. Czekam na dalszy rozwój wypadków. Biedny Fraszak oko w oko z groźnym, nieprzyjaznym światem.

Trener – wąsaty i lekko nobliwy gość, naprawdę wielki – kiedyś grał profesjonalnie w siatkówkę, po krótkim zdyscyplinowaniu rozgadanej gromadki wydaje wreszcie polecenie: do wody! Sam efektownie skacze na główkę do płytkiego przecież basenu i szybko się wynurza.

– Na nogi! Proszę skakać na nogi!

Fra odpychany przez innych, ustępując wszystkim miejsca, dociera wreszcie do krawędzi basenu. Chudziutki wygląda jak jakaś postać ze starego obrazu przedstawiającego tłum ludzi gnanych na łąkę, gdzie ma odbyć się sąd ostateczny. Kiedyś miałem już takie skojarzenie, coś kołatało mi się po głowie: jacyś bracia trzewiczkowi czy ktoś, przeglądałem potem albumy, wysilałem pamięć – bezskutecznie.

I oto Fra wchodzi do wody. Po drabince. Tyłem. Zanurza jedną nogę po kolano. Cofa. Ale przecież woda nie jest taka zimna. Patrzę na tablicę: kredą wypisane jest 27 stopni. To dość ciepło.

– Szybciej, szybciej, Franek! – pokrzykuje trener, odczytując jego imię wypisane flamastrem przez Gosię monstrualnymi czarnymi literami na czepku. – Wszyscy są już w wodzie!

Fra przymyka oczy, zadziera głowę do góry i schodzi dwa stopnie niżej. Niecierpliwię się.

– Franek. Wszyscy czekają! – ponagla pan Włodek.

Franczesko puszcza się szczebelka i leci w dół. Woda zalewa mu twarz, zaczyna panicznie machać rękami, chwyta się aluminiowej drabinki, rozpaczliwie podciąga, próbuje wyjść. Trener jednym susem jest przy nim. Fra w panice, w jakimś pomieszaniu, kaszląc, bełkotliwie tłumaczy:

– Tu jest za głęboko, bez gruntu utonę – mówi, jakby sądził, że zaraz cała rzecz się wyjaśni i wytarty zostanie odesłany do domu albo znajdzie mu się inne miejsce. Biedny, jak człowiek przed egzekucją, sądzi, że okrucieństwo tego świata to tylko nieporozumienie, które zaraz zostanie sprostowane, bo przecież każdy z nas jest niewinny. To nie ja, to wyniki nie moich badań, to na pewno pomyłka, mój organizm się obroni...

– Wracaj do wody – prawie krzyczy pan Włodek, łapie mojego Fraszaka za chude ramionka i wciąga do basenu. Fra staje na dnie i ze zdziwieniem stwierdza, że ma grunt.

Ja wzruszony obserwuję to wszystko, widząc, że mój chudziaczek mimo zmian w technologii, mimo że ten basen z błękitną podświetloną taflą wody w niczym nie przypomina tamtych ośrodków tortur, męczy się tak samo jak ja. Podskakuje teraz, klaszcze w dłonie, robiąc w wodzie pajacyki, a ja z czułym uśmiechem wracam wspomnieniami do własnego dzieciństwa i dumny widzę, jak historia się powtarza.

Tak, Fra jest spośród całej mojej piątki zdecydowanie najbliższy mojemu odczuwaniu świata, gdy zawsze było mi zimno, niewygodnie, gdy świat męczył mnie, dostarczając krost, bólu głowy, zimnego potu. Gdy ciągle czułem się źle, gdy jakiś dyskomfort był stałym moim doświadczeniem. Mniejszy, później dojrzewający, może dlatego wybrałem ścieżkę cnoty, przestrzegałem wszystkich nakazów i zakazów, bo wiedziałem, że nawet wchodząc na drogę występnych, spotkam tam to co zawsze: niewygodę i dyskomfort. Może przeczuwałem, że nawet tam, na tym szerokim gościńcu wiodącym na zatracenie, nie czeka na mnie żadna rozkosz, tylko wciąż będzie niewygodnie, wciąż będzie swędzieć, wciąż będę najmniejszy, najmniej zgrabny, najbardziej żałosny...

Fraszak coraz bardziej daje się wciągnąć sztuczkom oswajającym z wodą. Przestaje się kulić, chlapie się już z tłuściutkim sąsiadem i choć dygoce z zimna, na jego sinych prawie ustach pojawia się uśmiech.

A jeśli - zaczynam się obawiać - nasze wspaniałe czasy, te wszystkie odżywki, to lepsze niż w latach sześćdziesiątych jedzenie, pchną go nagle, powiedzmy, już w gimnazjum, do ligi szkolnych liderów, jeśli już wtedy przezwycięży zapisane w genach ograniczenie i wyskoczy mi do góry, podrośnie, nabierze ciała, jeśli świat nagle objawi mu się jako coś przyjaznego i całkiem wygodnego? Jeśli zobaczy, że należy do rasy zdobywców, że jego dad is rich, a jego mum is good lookin'? To co wtedy? Co go uchroni przed grzechem? Może bardzo szybko będzie chciał sobie odpłacić za te upokorzenia, których zaznaje teraz, gdy odpychany przez rówieśników, zawsze ostatni, połyka łzy...

godzina 11.23

– Wiesz – odzywam się do Szuwara – wydaje mi się, że myśmy mieli o wiele łatwiej. Strach przed grzechem był rzeczywiście świetnym wynalazkiem pedagogicznym. Nawet te obśmiewane przesądy, że od onanizowania wypadają zęby czy też mózg wysycha, to wszystko działało. A teraz? Nie będę dzieciaków oszukiwał.

– Co to znaczy oszukiwał? – pyta gwałtownie Szuwar. – Przecież grzech naprawdę niszczy. Jak człowiek stoczy się w młodości, to potem te wewnętrzne rany nosi przez całe życie. I to jest na pewno gorsze niż wysychanie mózgu.

– No tak, tylko dawniej cały seks był tabu i miałeś spokój.

– Ale i teraz trzeba postawić szlaban zalewowi pornografii. Dla mnie ten spisek producentów-pederastów jest czymś tak ewidentnie diabelskim, tak oczywistym, że te naiwne sztuczki maskujące są wręcz rozbrajające. To wszystko strasznie atakuje podświadomość. Oglądam czasami MTV, przeglądam pisma i widzę, że idzie bardzo ostry atak, wiesz, wręcz promocja seksu analnego.

Zamieram z dłonią na szklance kefiru, ale pocieszam się, że te ciągoty mam już prawie za sobą. Szuwar ciągnie dalej tym swoim charakterystycznym, zmiękczonym głosem inkwizytora, który przejrzał zło tego świata i lekko znudzony wydaje wyroki:

– To wszystko jest takie prostackie: pederaści lansują anorektyczne dziewuchy i tę formę seksu, którą są w stanie uprawiać ze swoimi chłopaczkami, ale jest to także atak na jeden z najczulszych czakramów, na węzeł życia, gdzie się zapętla w człowieku kosmiczna energia. Taki seks, taki gwałt rozwalają całą osobowość. Tu sprawa idzie na ostro i nie ma żartów. Bo można oczywiście się litować nad homoseksualistami, trzeba im współczuć, pracować nad nimi, ale jednocześnie, wiesz, oni wykonują robotę szatana.

Znów czuję niepokojące bulgoty w brzuchu, będę musiał jednak z tym pójść szybko do lekarza, bo koniec świata końcem świata, a rak – rakiem. Zasmucam się gwałtownie, to memento mori słane z głębin mojego przewodu pokarmowego uświadamia mi całą beznadzieję sytuacji. Obyś był zimny albo gorący!

Słucham Szuwara, nie sposób się z nim nie zgodzić, już chciałbym wyjść na barykady, nawracać ludzi, sprowadzać na ścieżkę cnoty, ostrzegać przed niszczącą, destrukcyjną rolą seksu i nagle reflektuję się, że to nie takie proste. Przecież żadne z moich dzieci mi nie uwierzy. Widzą, jak ocieramy się o siebie z Gosią w kuchni, słyszą skrzypienie tego pieprzonego łóżka – zdecydowanie nieudanej konstrukcji łoża małżeńskiego. Najstarsze córy wręcz bezbłędnie wychwytują nasze aluzje i zaśmiewają się z nas i z nami. Jak tu nagle przerzucić się na poważny ton, straszyć, że seks to coś koszmarnego?

Przecież dzieciaki pamiętają.

Przez kratki w drzwiach łazienkowych widzą coś dziwnego i dyskutują, co to może być:

– To chyba pięta taty...

– Mamo, tato, wiemy, że tam jesteście, wychodźcie!

Potem cisza i jakieś śmiechy, przychodzi najstarsza. Przestaję więc wykonywać jakiekolwiek ruchy, zastygam w Małgosi. Leżymy na rozesłanych w pośpiechu czerwonych ręcznikach w obrazki ze *Stu jeden dalmatyńczyków*, Małgocha z włosami nakręconymi na papiloty, ja z resztkami pianki do golenia koło uszu.

– Przesuńcie się – mówi Alka, najstarsza, do dzieci. Słyszę, jak odstawia na bok jakąś zabawkę, pochyla się, delikatnie dzwonią bransoletki na jej rękach. – No już, idźcie do pokojów, nie przeszkadzajcie – w jej głosie słychać dumę ze zrozumienia, co znaczy widok pięty tatusia i co tam rodzice wyprawiają ze sobą, a jednocześnie pobrzmiewa w tym wesołość, bo wie, że seks jest czymś radosnym, wyzwalającym. I wie, Alka na pewno wie, że póki jej rodzinny dom będzie pełen aluzji do seksu, póki dom będzie miał aromat miłosnych igraszek, ona i jej rodzeństwo są bezpieczni. Rodzice się kochają, dom jest stabilny.

Więc jak wychować teraz te wszystkie nasze brzdące, jak przekonać je, że jest to zakazany owoc, że od tego można stracić wszystko, że jest to niebezpieczna maszyneria. My osiągnęliśmy to dzięki lękowi. Paraliżującemu lękowi. Niepotrzebne nam były nawet tajemnicze nauki o czakramach. Baliśmy się tego. To było prawdziwe tabu.

Alka odchodzi od drzwi łazienki, wraca błogosławiona ekscytacja i kolejny raz okazuje się, że takie akcje dzieci mają swój urok: mała przerwa powoduje, iż jest jeszcze wspanialej: ekstaza osiąga szczyty. Gocha wciska sobie dalmatyńczyki w usta, żeby nie krzyczeć zbyt głośno.

– A ty odszedłeś z *Kontr-wywiadów*? – wyrywa mnie z zamyślenia Szuwar, z wyraźnym niesmakiem wymieniając nazwę popularnego talk show, który kiedyś stworzyłem. Wygina przy tym usta z co najmniej tak wielkim obrzydzeniem, jak Jaruzelski ogłaszając stan wojenny.

– Tak, rok temu – niechętnie podejmuję wątek, choć jeszcze przed chwilą przysiągłbym, że już wyzwoliłem się z tamtego okresu.

– Dlaczego?

– Bo przekonałem się, że to nie prowadzi do prawdy – odpowiadam jakby jego tekstem: natchnionym, górnolotnym, podanym odpowiednio wzruszonym głosem.

– Nie napisałbyś o swoich doświadczeniach? – pyta niby to od niechcenia, uwijając się zręcznie z jakimś wolnym od żelatyny kisielem czy budyniem. W każdym razie czymś, co kolorem i konsystencją przypomina buraczki zmieszane ze szpinakiem.

– Ale dokąd?

– Do „Naszego Kraju", mam tam rubrykę.

– Wiesz, to chyba nie ten odbiorca – odpowiadam. Kto czyta „Nasz Kraj"? Sfrustrowani katolicy z krościatą cerą i tłustemi włosy, poszukujący potwierdzenia masońskich spisków i żydowskich knowań. Przecież spluwali na nasze *Kontr-wywiady* jako wytwór zdegenerowanej kultury bez względu na to, o czym się tam mówiło.

– Słuchaj, można i gdzie indziej, nawet do „Życia" – znowu zgrabnie wrzuca sobie do ust porcję buraczko-szpinaku i szybko przełyka. – To byłoby bardzo interesujące. A tak dokładnie, to dlaczego odszedłeś?

– Ze względu na twojego Nowika.

– Na jakiego mojego? – odcina się Szuwar. – Zgoda, był związany z „ga-Galerią", ale ostatnio z nim nie mam kontaktu. Zresztą teraz ta jego twórczość to jakaś demonerka, on nie zdaje sobie sprawy, co czyni.

– Robiliśmy z nim rozmowę, mieliśmy świetny research, bo wielu przecież go zna, Wierzba opowiedział nam ekstra anegdoty, zresztą basista jego zespołu odszedł do „Mateusza". I rozmowa wyszła świetnie. Była po prostu wzorcowa. Okay, wiem, że nie cierpiałeś *Kontr-wywiadów* i samego Maćka, który je prowadził, ale dla mnie to była taka dywersja w szeregach wroga. Jajczyło się, jajczyło, a potem nagle, jak obuchem w głowę, ktoś dawał mocne, sensowne świadectwo: wyszedł z nałogu, potraktował serio rodzicielstwo albo przyznał się, że co niedziela chodzi do kościoła lub ma brata księdza.

– Ale większość rozmów...

– Większość rozmów to może dla ciebie chłam, dla mnie po prostu świetna rozrywka. – Oj, nie chce mi się spierać z tym Szuwarem, tłumaczyć ze wszystkiego, po prostu tego nie znoszę. On sam pytania o swoje grzeszki chytrze przecina jakimiś wielkimi lamentacjami, że grzeszył, a teraz pokutuje. A ja akurat tak bardzo nie chcę się odcinać. – No i wiesz, ta rozmowa z Nowikiem też w pewnym momencie zeszła na sprawy domu i tego, jak wychowuje córkę. A on miał z nią niedawno straszliwe kłopoty. Bo wymyślił sobie formułę domu otwartego, hipisiarskiego, przychodzili do nich różni artyści, odlotowcy, no, ludzie z całego Lublina, to w ogóle był taki jedyny punkt w mieście.

– Tak wiem, widziałem ten „otwarty" dom – mówi z przekąsem Szuwar.

– Tam wszystko było: wódzia, gandzia, narkotyki, ale też ciekawe wystawy, jakieś muzyczne dżemy, oni tam wymyślali przecież różne akcje uliczne, w ogóle się działo sporo.

– Demonerka – kwituje Szuwar. Jakby zapomniał, że kilka lat temu wydał Nowikowi tomik tekstów i publikował pełne zachwytu reportaże o jego przeróżnych aktywnościach.

Nie będę się kłócił. Mam przed oczyma neandertalską wygoloną na glacę czachę Nowika i jego lekko wyłupiaste oczy skryte za okularami, widzę jego małpie ruchy pod luźnym sweat-shirtem i pamiętam swoje zdziwienie i zazdrość, że mimo tylu chemicznych doświadczeń, jakim poddawał swoje ciało, zachował tę wspaniałą sprężystość i elastyczność.

– W tym wszystkim dorastała jego córa. No i jacyś idioci poczęstowali ją trawką, może zresztą Nowik jej pozwolił, wiesz, miała pewnie szesnaście lat, sam Nowik jest za legalizacją miękkich narkotyków, nie wiem, jak to było. Może nie działo się to na jego oczach, w każdym razie jego córa zajarała sobie. Rozumiesz: niech się przekona sama, niech wybierze... Posmakowało. I Dominika stała się zwykłą regularną narkomanką. I to już nie trawka, tylko najcięższe historie: heroina, walenie w kanał. Koszmar. A Nowik, oczywiście, sam stary trawiarz, nic o tym nie wiedział. To znaczy: długo nie wiedział. A gdy wreszcie doszło do niego, co i jak, to był już totalny dół. Panienka dla tych narkotyków, zupełny koszmar, puszczała się, za kasę albo za działkę towaru, upadek. Więc Nowikowie wzięli ją na ostry odwyk: szlabany, kipisze, żadnego tam domu otwartego. I jakoś córa z tego wychodzi. Maciek, nasz prowadzący, jak to Maciek, ze swoim uśmieszkiem, ale jednocześnie z taką niby troską, pyta, co z córką, bo słyszał, że były z nią kłopoty wychowawcze. Nowik nagle przygasł, bo do tej pory to rozmowa była na pełnej hucpie i luzie, wiesz, swobodna gra skojarzeń, dowcipas za dowcipasem. Tu nadmuchuje na czas jakiegoś monstrualnego gumowego krokodyla, żeby opowiedzieć o swoich traumatycznych przeżyciach z przedszkola, chwilę później rozpoznaje się na amatorskim filmiku ze szkoły, a tu nagle: córa. Więc przyblakł. Najpierw coś tam się wycofywał, krył to żarcikami, a Maciek z tym uśmieszkiem dalej go dręczy i wierci dziurę, jest w tym fenomenalny. Możesz go nie lubić, ale naprawdę to jedyny facet w Polsce, który nie popuści. I ciągnie: jak to było, słyszałem, że Dominika się uzależniła od narkotyków. Nowik mówi wreszcie: tak. I bez drastyczności, ale wydukał wreszcie komunikat, że trzeba uważać na dzieciaki i że ten cały liberalny dom to był jednak błąd. Zrobiła się świetna atmosfera, bo widać wzruszenie Nowika i prawdziwie ojcowskie podejście, Maciek nawet poklepał go po dłoni: tak między nami ojcami, bo przecież on też ma córkę, tylko malutką jeszcze, jednym słowem było to, o co chodzi w takich rozmowach, szybka akcja, jajczenie, a potem takie fantastyczne świadectwo. I tydzień później, jak już byliśmy z tym na montażu, a ujęcia wyszły super, akurat operatorzy się spisali: mieliśmy taki bliski kadr Nowika, cały jego ból podany jak na tacy, nawet coś jakby łza zalśniło za jego okularami, w każdym razie taki blik się zarejestrował, a tu telefon od Nowika do producenta, że bardzo dziękuje za rozmowę i było cool, ale jednak prosi o wycięcie tego fragmentu o córce, bo to może jej zaszkodzić w szkole i w ogóle. Taka mętna gadka. I oczywiście producent się zgodził.

Przerywam i ogarnia mnie nagle fala kompletnego zniesmaczenia, gdy myślę o tym palancie Nowiku, jego łysej glacy, o tych wszystkich gwiazdeczkach pop-kultury.

– Dlaczego o tym nie napiszesz? – pyta twardo Szuwar, ale przecież i on zna setki takich spraw i jakoś ich nie wywleka, tylko woli potępiać tak ogólnie.

– Ale czemu właśnie o nim? Czemu właśnie jemu mam zrobić comin' out?

– Andrzej, przecież tu chodzi o nasze dzieci! Przez milczenie takich palantów – już się przestraszyłem, że powie „takich palantów jak ty", ale chodzi mu na szczęście o Nowika, jeszcze o Nowika - dzieciaki wpadają w kompletne doły.

- Dobra, ale gdzie jest granica? Mam pisać o Glanowskim, ulubieńcu starszych pań, który wali teksty o miłości do swoich córek i jak to jest wierny swej zmarłej żonie, co zginęła w wypadku samochodowym, a my mamy research, że rok temu opłacał skrobankę... Może mam walnąć nazwiskami i zrobić comin' out tej aktorce, która usunęła ciążę z nim?! Gdzie to ma się skończyć? I co, wyciągać wszystkich tych lewusów i zboków? Te żenujące tła fotoreportaży z „Vivy", typu: wierni sobie od dziesięciu lat, lub: nie miałam operacji plastycznej, to są naturalne piersi. Mam wyciągać historie tych wszystkich pederastów udających macho? Bez przesady. Zrozum, przecież ja mam research dotyczący ze czterystu osób.

- Ale dlaczego nie?! - zapala się Szuwar. - Przecież to jest nasza misja. Trzeba przestrzec nasze dzieci, trzeba to zastopować, a kto to może zrobić, jak nie ty?

- Chyba jeszcze nie dojrzałem do tego - staram się uciąć sprawę, ale jednocześnie przecież, po tej defensywnej wyliczance, nagle widzę, że tak, że niedługo chyba coś we mnie pęknie, przestanę ironicznie i z zakłopotaniem się uśmiechać i zrobię coś bardzo głupiego. - Pracuję nad tym... - dodaję i nagle ogarnia mnie kretyńska euforia. Faktycznie jestem beczką pełną prochu, zaraz mogę eksplodować. Przecież mam takie wiadomości. Skumulowany research dotyczący naszego rodzimego show-biznesu, robiony niby to just for fun, dowcipne rozmówki ze znajomymi gwiazd, którzy sądzili, że są to gadki wśród samych swoich, że nic nigdzie nie wycieknie, bo wszystko odbywa się wśród takich samych popaprańców jak oni... przecież to rzeczywiście unikalna sprawa.

Szuwar milczy, utkwiwszy wzrok w szklance z kefirem, jakby odmawiał nade mną jakąś modlitwę, która ma mnie popchnąć do tego desperackiego czynu.

– No tak – mówię – czyli jaka właściwie jest twoja recepta na dzisiejsze czasy?

– Prawda i Eucharystia. Tak, Eucharystia jest lekiem. Stary... – znów się rozmarza – w tym jest wszystko. Ostatnio, wiesz, zaczęliśmy z moją Elą przyjmować Ciało Chrystusa co dzień. Na początku były straszne przeciążenia, pokusy takie ewidentne, że trzeba było krzyknąć: zejdź mi z oczu, szatanie... Idę na przykład ulicą, a tu dziewczyna kilkunastoletnia, w zasadzie dziecko jeszcze, wygina się i ślini, widać, że chce się oddać.

– Jak córa Nowika...

– Właśnie. A teraz jest pełna komunia. Także między nami. Jak coś ze mną się dzieje, to Ela od razu to wyczuwa. Dzwoni, wysyła mi wiadomość na pager. A więc recepta to na pewno Eucharystia.

– A znaki jakieś? – pytam, bo widzę, że mi się wymyka, że z tej rozmowy nic nie będzie.

Uśmiecha się jak wszystkowiedzący guru. Wyciąga dłoń i opiera na moim ramieniu, patrzy w oczy i mówi ze spokojem wizjonera:

– Andrzeju, znaki same przyjdą...

Musi już biec nagrywać audycję, więc wstaje, żegnamy się, szczęść Boże, szczęść Boże, a ja zostaję z kartą kredytową w ręku i świadomością, że jestem gnojem, głupim inteligenckim gnojem.

godzina 12.03

Wsiadam do alfy i z radością zagłębiam się w dobrze wymodelowany fotel obejmujący moje lędźwie, zapinam pas i myślę, że to jednak nieuleczalne - drobne przyjemności: dwa i pół litra pod maską dające siedem sekund do setki, niski gang silnika, skórzana tapicerka. Nie da rady, można sobie ironizować i wszyscy to czynimy, ale luksus daje radochę. W szczególności nam, wyposzczonym.

Zerkam na zegarek: minęło południe. Ha! W czasach stanu wojennego co dzień o dwunastej odmawiałem *Anioł Pański*. Pierwsze *Zdrowaś* za siebie i Małgosię, drugie za papieża, a trzecie za niepodległość Polski. I się spełniło! Udało się. Stał się cud!

Uaktywniam komórę i zaczyna się: feeria pikań i melodyjek. Już ćwierka komunikat „masz wiadomość", już gra muzyczka. Odbieram. Poczta głosowa. Kasia z biura.

„Andrzeju, szuka cię pani Marianna Gdowska z «Naszego Kraju». Przeeesemesowuję ci jej numer. Mówiła, że to bardzo pilne. Związane ze sprawą biskupa Dzięgiela".

Wzdycham, gmeram po klawiaturze komóry i oddzwaniam.

– Bardzo dziękuję, panie Andrzeju, że pan dzwoni. Musimy się spotkać. To polecenie biskupa Dzięgiela. Proszę mi wyznaczyć miejsce, jestem samochodem – wali jak karabin maszynowy, a ja zerkam na zegarek i mówię sobie: okay, lepiej teraz obsłużyć tę skrzeczącą oszołomkę niż przez tydzień dać się jej bombardować telefonami.

– W porządku, tylko gdzie?... Może o wpół do pierwszej... bo gdzie pani teraz jest?

– W centrum.

– Aha, no dobra, to może... – zastanawiam się nad jakąś nierzucającą się w oczy knajpą, bo pokazać się z wypłoszem z „Naszego Kraju" w „Szpilce" albo „Modulorze" to byłby niezły obciach. – To może... może pani coś zaproponuje.

– „Szafa"?

– A gdzie to jest?

– Naprzeciw dziecięcego sklepu „Pierrot" przy Jana Pawła.

– Zgoda. To w „Szafie" o dwunastej trzydzieści. Będę w skórzanej kurtce i szarej marynarce.

– Ja pana rozpoznam.

– Czyli za pół godziny w „Szafie".

Randka w szafie, niezłe. Czego ta znowu może chcieć? Robi się niewesoło.

Wrzucam jedynkę, a bulgot i znowu to lekkie ćmienie w żołądku przypominają mi, że muszę dziś wpaść do lekarza. Trudno, trzeba to mieć za sobą. Jak mam się przekręcić, to chcę wiedzieć już teraz. Dzwonię do Kasi.

Jak zwykle mówi do słuchawki konspiracyjnym szeptem, jakby w biurze odbywała się nie wiem jak ważna narada:

– Fiesta Studio, słucham?

– Cześć Kasiu, dzięki za info o tej Gdowskiej. Nie mówiła dokładniej, o co jej chodzi?

– Nie, tylko że z polecenia biskupa Dzięgiela.

– Aha, wiesz, mknę teraz na spotkanie z nią, potem te zdjęcia... spróbuj może mnie jakoś zapisać do gastrologa na później, dobra? Na Ordynacką, tak. To się chyba nazywa przychodnia czy lecznica profesorska. Pierwsza wizyta. No, to na razie.

Zaczynam coraz bardziej niepokoić się tym moim brzuchem. Zresztą za dużo znaków wokół pokazuje, że coś się musi ze mną zdarzyć. No pewnie, że się boję. Bo dlaczego nie miałbym być dziabnięty właśnie teraz, razem z papieżem? Właśnie, dlaczego?

Przecież tak naprawdę jest to koniec świata. Przeżyliśmy razem prawie ćwierć wieku i to było najlepsze moje ćwierć wieku, niewątpliwie: od kilkunastoletniego dojrzewającego czyżyka, który jeszcze dokładnie nie wiedział, co jest grane w tych sprawach, do zmęczonego czterdziestolatka. To przecież najlepszy czas i jedyny. Tak, drogi Karolu. Najlepsze chwile przeżyłem z tobą. Rozmnażałem się. Ganiałem na pielgrzymki, do Kościoła, biegałem na wielkie meetingi z tobą. Razem troszczyliśmy się o „Solidarność" i patrzyliśmy, jak pierdzielnęła komuna. Kochałem się, upadałem, to może i razem odejdziemy. Ty – na oczach świata, ja gdzieś tam za kulisami, przygotowując ci pogrzeb. Poetyzuję sobie nieco, ale mam cykora. Bulgoty w brzuchu nie ustępują, do tego dochodzi coś jakby ból, i to w górnych partiach brzucholca, nie ma żartów.

– Powodzenia – mówi Kasia niezwykle ciepłym głosem, który pozwala mi na chwilę uwierzyć, że jestem powszechnie lubianym zawodnikiem.

godzina 12.33

Z pozytywnego nastroju wytrąca mnie od pierwszych minut koleżanka Gdowska. Ale ona zdaje się nikogo nie lubi, za to ma do wypełnienia jakąś straszliwą misję psucia humoru całemu światu. Patrzę na jej zaciętą twarz, może nawet jest młodsza ode mnie, ale wąskie usta pomalowane na krwawoczerwony kolor i gruba, prawie bordowa tapeta mieszająca się z alergicznymi wykwitami czynią ją kobietą w średnim wieku. No i ta szramka czy głęboka zmarszczka idąca od lewego kącika ust ku brodzie.

Wali od razu, gdy tylko siadam:

– Zdaje pan sobie sprawę, że pana kandydatura bez wsparcia naszego środowiska raczej nie przejdzie? Nie ma pan specjalnie mocnej pozycji w episkopacie...

– W ogóle nie sądzę, że ktoś tam o mnie wie.

– Wiedzą, wiedzą.

– Ale co wiedzą? Że biję żonę, głodzę dzieci, piję, o co chodzi?

– Po prostu, znają pana twórczość, ona nie zawsze była ortodoksyjna i katolicka... – zawiesza głos, jakby dumna z tej analizy. No tak, pewnie takie właśnie milutkie osóbki piszą donosy swoim ukochanym biskupom i biorą pod lupę wesołków w moim typie.

Nalewam herbatę z czajniczka. Zabawne: elegancki czajniczek, a w nim zwykła herbata na smyczy. Tyle celebry dla jakiegoś zwykłego szczura?

– No tak, ale, wie pani, biskup Dzięgiel mnie wyznaczył rolę reżysera.

– Biskup Dzięgiel. To są na razie przymiarki. Ale myślę, że możemy się umówić na współpracę... obecność ludzi z naszej redakcji będzie dla episkopatu gwarancją rzetelności projektu.

– A konkretnie, jak by to wyglądało?

Patrzę na nią i staram się dokopać w niej jakiegoś seksapilu, to zazwyczaj skutkuje, jeśli kobitkę uda się otoczyć mgiełką erotyzmu, łatwiej ją zaakceptować, ale teraz nie jestem w stanie odkryć niczego, jakby opancerzyła się, zamknęła. Patrzę na jej dłoń, która przed chwilą obdarzyła mnie silnym męskim uściskiem. Szeroka, nieciekawa. Nic. Dziergany na drutach wełniany sweter bez zwieńczenia na górze, przypominający zakurzony kilim, też nie sprzyja. Koszmar. No, chyba żeby uruchomić jakieś skojarzenia sado-maso, ale jestem na to za leniwy.

Bierze głęboki wdech, odgarnia ciemne, noszące ślady wielu farbowań, pozlepiane włosy za ucho, zaczyna:

– Wie pan, bo myśmy dużo myśleli z mecenasem Dzięciołowskim. I nie możemy pozwolić, żeby ktoś zawłaszczył pamięć o naszym papieżu.

– Ale co to znaczy?

– Musimy pokazać ludziom całe ostrze jego nauki...

– Jakie ostrze?

– Panie Andrzeju, już teraz przecież widać, w jaką stronę ludzie chcą to popchnąć. Te koncerty w Wadowicach, albumy... Chcą zagłaskać Ojca Świętego i w ten sposób zagłuszyć jego naukę. A on przecież jest głosem sprzeciwu wobec cywilizacji śmierci.

– A konkretnie?

– Niech pan nie udaje, że pan tego nie widzi!

– Nie, no widzę...

– Kremówki, występy peerelowskich piosenkarek w hołdzie papieżowi – czemu to wszystko służy? Żeby złożyć Jana Pawła II w pudełeczku z ckliwymi pamiątkami, żeby stępić ostrze jego nauki, przedstawić jako takiego pogodnego, miłego staruszka.

– Ale pomijając pani sarkazm, co w tym złego?

– To, drogi panie, że to nieprawda. Musimy pokazać, jak wymagająca jest papieska nauka, że to nie jakieś tkliwe piosenki, tylko twardy bój.

– Przy okazji takich uroczystości? Czy to czas na to?

– Proszę pana, wiem, że pan lubi efekciarstwo i najwygodniej byłoby zrobić jeszcze jeden wielki koncert w stylu „kochajmy się".

– Nie, co to to nie, ale dlaczego... – próbuję oponować, lecz ona z zaciętością wali:

– Musimy pokazać światu i Polsce, że nie ma zgody na taki sentymentalizm, że nasz papież wymaga od nas ofiary.

– Przy okazji pogrzebu? Jątrzyć?

– Nie jątrzyć, tylko mówić prawdę. A kiedy będzie lepsza okazja? – Lekko zasapana nabiera oddechu, rozszerzając nozdrza, i w tym inkwizycyjnym zapamiętaniu budzi się w niej wreszcie coś ładnego i kuszącego. Jak w naszych dziewczynach w czasach walki z komuną. Gdy zaperzały się na kolaborantów. Jeśli pani Gdowska jest taka na co dzień w redakcji, to rzeczywiście może być niezłym natchnieniem dla facetów piszących gniewne editoriale. Pod swetrem unoszą się jędrne chyba jeszcze piersi. Gdyby tak ją ubrać w męską koszulę... – Pan zna przepowiednie?

– Które?

– Malachicką.

– Mniej więcej znam – blefuję i widzę, że naprawdę będzie ciężko. – Ale co z niej ma wynikać dla naszych uroczystości?

– To, że czasu na opamiętanie pozostało już bardzo mało. I trzeba ludzi wezwać do pokuty. Przecież to widowisko obejrzą miliardy ludzi, i co? I pan sobie myśli, że ot tak, zrobi się miło i wspominkowo? I że o to chodzi?

– Niekoniecznie, ale...

– Panie Andrzeju, to jest jedyna szansa, aby powiedzieć mocno, że nie ma zgody na cywilizację śmierci, na rozpanoszenie się zboczeń, na pornografię, na zdrady małżeńskie. Na permisywizm.

– Dobrze, ale to jest jednak pogrzeb. Wspomnienie i modlitwa za wspaniałego człowieka, no naprawdę, przecież sam Jan Paweł II przygotowywał takie pożegnanie z ojczyzną. – Nie. Dosyć tego. Przechodzę do kontrofensywy: – Pamięta pani jego pielgrzymkę z dziewięćdziesiątego pierwszego? Krzyczał wtedy, że sprawy idą w złym kierunku, że właśnie cywilizacja śmierci, rozpanoszenie się pornografii, złe korzystanie z wolności. I ludzie zupełnie tego nie kupili. Więc zmienił ton i jak było na ostatniej pielgrzymce? Zupełnie inaczej. I przecież te kremówki wadowickie, te wspominki on sam zaproponował, nikt mu tego nie wpisał do homilii. Mnie się wydaje, że...

– Do czego pan zmierza?! – ucina jak batem.

Patrzę na nią zaperzoną i wściekłą. To nawet ciekawie wygląda. Zaciska szczęki, jakby naprawdę miała mnie uderzyć.

– Czy pan nie widzi, że pan mówi jak każdy komuch?! Że co? Że papież – wybitny autorytet moralny, tak, tak, oczywiście trochę zacofany, ale... I z politowaniem ulukrować papieża, żeby wszyscy się rozczulili.

– Nie rozumiemy się – mówię – moim zdaniem lepiej ewangelizować ludzi tak bardziej po dobroci, a nie krzykiem.

– Jezus też krzyczał, gdy wypędzał kupców ze świątyni.

– Zgoda, wypędził ich, ale przecież nie nawrócił. To było działanie jednorazowe. Na dłuższą metę krzyk raczej nie pomaga. Sądzi pani naprawdę, że ludzie poprawią swoje życie, bo się na nich pokrzyczy?

– Żyjemy w czasach ostatnich. I naprawdę, panie Andrzeju, naprawdę cenię niektóre pana realizacje, ale po co się łudzić: nie ma czasu na łagodną perswazję.

Zaczynam jej współczuć. Na pewno ktoś ją bardzo kiedyś skrzywdził, mąż pijak czy jakiś lubieżnik, cholera wie, ale cała jest jedną krzyczącą raną, widać, że jakieś straszliwe doświadczenie ją napędza, i może seria wizyt u psychoterapeuty uczyniłaby z niej kogoś zupełnie innego. Z łagodnymi rysami, uśmiechniętą. Nie ma jednak czasu na taką terapię. Nikt z nas nie ma już czasu.

– Jak się ludźmi nie wstrząśnie, jak się ich nie nastraszy, to naprawdę niczego nie pojmą. I radzę panu – w jej głosie brzmi jawna pogróżka – wziąć to pod uwagę.

– Dobrze, ale czy nie skuteczniejsze byłoby pokazanie chwały Bożej, namówienie ludzi, żeby z radością wybrali ciężką drogę, jakieś wyrzeczenia, żeby chwaląc Boga za naszego papieża, podjęli trud pewnej... no nie wiem, wstrzemięźliwości, czystości...

– Panie Andrzeju – uśmiecha się z politowaniem, co pogłębia bruzdę na jej twarzy – niech pan nie żartuje, przecież pan sam nie wierzy w to, co mówi. Wie pan, czym się to skończy: rozmyciem nauki Kościoła. A ludzie muszą zrozumieć, że tu, na ziemi, nie da się tak po prostu wygodnie żyć. Że tu nie ma łatwego szczęścia. A pan chciałby pokazać im świat show-biznesu: trochę błyskotek, jakąś ładną muzyczkę... Otóż na to nie dostanie pan naszej rekomendacji...

– Zaraz, zaraz, biskup Dzięgiel mnie upoważnił do prac nad przygotowaniem uroczystości.

– Proszę pana, biskup Dzięgiel nie zna całego pana dorobku. Rozmawiałam z nim po pana wyjściu i jego eminencja powierzył mi zaopiniowanie projektu. Bardzo bym prosiła o bliski kontakt i przemyślenie tego, o czym mówiliśmy. Widzę, że bardzo poważnie różnimy się co do koncepcji wstępnej. Proszę mi wierzyć, znamy się z biskupem od lat i jego punkt widzenia jest w zasadzie tożsamy z naszym.

Robi się poruciasto. Jeszcze na dobre nie rozkręciłem sprawy, a tu już takie kłody.

– W porządku – biorę relaksujący oddech i spokojnym, łagodnym tonem recytuję wyuczoną tyle razy lekcję: – Bardzo się cieszę na współpracę z panią i państwa redakcją i wierzę, że uda nam się rzeczywiście godnie przygotować te uroczystości. Nie jestem w tym biznesie od wczoraj i naprawdę będę realizował wolę zleceniodawcy. Dam taki produkt, jaki będzie zamówiony. Proszę się nie obawiać jakiejś samowoli z mojej strony.

Kiwa głową i z satysfakcją przyjmuje hołd lenny. Ciągnę dalej:

– Zdaję sobie sprawę z wyjątkowości tego zamówienia i z wielkiego wyróżnienia, jakie mnie spotkało. Tak naprawdę nie ma między nami wielkich różnic co do formuły uroczystości. Mnie też zależy na tym, żeby rzecz była jak najbardziej wierna nauczaniu papieskiemu.

Tak, muszę to mówić, cokolwiek sądzę o pani Mariannie Gdowskiej, cokolwiek sądzę o źródłach jej zapału do krzewienia wiary, o jej poranionym wnętrzu, o jej nienawiści do uśmiechu i szczęścia. Tak, muszę to mówić, bo chcę zrobić tę imprezę, a czymże się różni moja układność tutaj od bałachów, jakie żenię politykom czy biznesmenom. Muszę łykać ten shit. Taki już show-biznes jest. Muszę się do niej wdzięczyć, bo to ona jak widać ma dojście do biskupa i jako święta niewiasta objaśnia mu świat.

– Pani Marianno, na pewno wszystko będzie dobrze i bardzo mi zależy na utrzymywaniu z panią już teraz stałego kontaktu. Muszę sobie niektóre sprawy jeszcze uporządkować, ułożyć, ale w tym tygodniu chciałbym się spotkać. Może u mnie w biurze, na jakąś spokojniejszą dłuższą rozmowę, bo rzeczywiście przed nami bardzo, bardzo dużo pracy.

Spoliczkowany, sponiewierany, z krwawymi pręgami od pejcza na plecach, jęcząc z bólu i rozkoszy, zapewniam, że było cudownie, gdy smagała mnie batogiem, gdy obcas od swojego czarnego wysokiego buta wwiercała w moje krocze. Umieram z rozkoszy na widok jej skórzanej bielizny, dyscyplinującej stare, ale wciąż atrakcyjne ciało. Czołgam się po podłodze zasmarkany, okrwawiony, szczęśliwy... Jeszcze, jeszcze raz, Marianno...

godzina 13.13

Wrzucam trójkę i cieszy mnie ten ruch, uczyniony nonszalancko, bez wysiłku, jakby samą kiścią dłoni. Połączenie omdlałej ręki ze *Stworzenia Adama* z gestem z teledysku podstarzałej blondyneczki, mknącej kabrioletem wśród futurystycznego krajobrazu wygenerowanego na komputerze przez zaćpanego grafika. Jej chusta powiewająca na wietrze, a potem białe ubranko podklejone taśmą do nagiego ciała, aby rozchylając się, nie pokazało zbyt wiele golizny.

Aleja jest pusta, mogę nieco poddusić gaz, tym bardziej że nawierzchnia po zimie nie jest specjalnie zniszczona. Wizgot silnika wchodzącego na wysokie obroty aż do czerwonej strefy obrotomierza. Okrągłe stylizowane zegary. Przy chodniku stoi jakaś menelia i macha rękami, sygnalizując wolne miejsce do zaparkowania. Oj, to już tu! Gwałtownie hamuję, aż terkocze ABS. Zmieniam jednocześnie pas ruchu, w ostatniej chwili zerkając we wsteczne lusterko. Trochę za szybko podjeżdżam pod krawężnik, znów oblewa mnie fala gorąca, ale chyba felga nieuszkodzona. Wrzucam dwie pięćdziesięciogroszówki do parkometru. No i oczywiście dochodzi do mnie pijaczek z fioletowym nochalem jak z plakatu towarzystwa przeciwalkoholowego. Po należny haracz.

– Nie, nie pilnować, bardzo dziękuję – mówię stanowczo.

Pijaczek stoi wytrwale, więc dorzucam, patrząc wprost w jego kaprawe oczka:

– Przykro mi, mam piątkę dzieci i obiecałem sobie, że nie płacę – robię pauzę. – Taką mam zasadę.

Ta piątka dzieci najwyraźniej robi wrażenie na menelu, kiwa zmęczoną głową i smutny oddala się łapać następnych litościwych klientów. W takich chwilach pijaczkowie myślą pewnie o swoich rodzinach i mają tę sekundę wyższych ideałów. No i dobrze.

Mrużę oczy przed słońcem, wchodzę w jakieś przesmyki, by dotrzeć do kościoła. Na rachitycznym drzewku zielenią się liście. Już wiosenne? Chyba nie, raczej przetrzymały zimę. Popycham drzwi na sprężynie, po oczach wali mnie półmrok świątyni. Widzę: jest, tłumek w bocznej kaplicy. Szmery, pokasływania. Jak w czasie normalnej mszy. Podchodzę. Mijam tabliczkę z flamastrowym napisem „Cisza. Nagranie". Na podłodze mnóstwo kabli, szarych i czarnych, jakieś przelotki, łączenia izotaśmą, skupiam się na tej mutacji gry w klasy, aby niczego nie potrącić. Pochylony, jakby w pokutnej pozie zbliżam się do ołtarza. Oczywiście Matka Boska Częstochowska. Zapalone świece. Wtem wyrasta przede mną dźwiękowiec w czarnym dresie z kapturem. W tych ciemnościach można by go wziąć za mnicha. Wszystko wygląda na parodię.

– Cześć. Jest Michaś? – Patrzę na Marka, na jego świdrujące oczka strzelające spod ciemnej grzywki i mimowolnie uśmiecham się, bo przecież sporo piw mamy za sobą.

– Jest. W zakrystii, przy mikserze. – Marek porusza ustami z pozostałością zajęczej wargi, zionąc przy tym okrutnie papierochami.

– Kiedy startujecie?

– Już jesteśmy po wszystkich próbach – mówi Marek i delikatnie, prawie obejmując mnie ramieniem, popycha w kierunku zakrystii. Ścisza jeszcze bardziej głos i rzuca chichotliwie: – Dziadkowie są lekko podpici, mogą być niezłe jaja.

– Jak to? – pytam i spinam się, jakbym był rzeczywiście odpowiedzialny za cały święty Kościół powszechny i za tę kapelę spod Szczebrzeszyna, która ma tu nagrać set pieśni wielkanocnych.

Przekraczamy próg zakrystii, więc Marek mówi już głośniej:

– No, popili w autobusie, jak to na wycieczce zakładowej, i są trochę niekumaci. – Widząc Michasia, dorzuca uspokajająco: – Ale wszystko będzie w porządku.

Michał ze słuchawkami na uszach odsłuchuje próbki z archaicznie wyglądającego srebrzystego magnetofonu firmy Nagra.

– Cześć, Andy, super, że wpadłeś. Kapela jest zupełnie roots. Żadnego udawania. Dlatego mogą być złapani tylko w kościele, wiesz, bo oni nie udają, naprawdę się modlą. Zobaczysz, to zjawiskowe.

Jakby na zaprzeczenie tych słów do zakrystii wtranżala się jakiś dziadek i zionąc alkoholem, mówi z lekka bełkotliwie:

– Ale w sprawie hotelu, to zamiast pokoju można pieniądze?

– Tak, to już załatwione, panie Czerwiński, niech pan się nie denerwuje.

– Bo inaczej nie śpiewamy – mówi napuchnięty na twarzy przybysz i dla potwierdzenia swej groźby robi bojowy ni to przytup, ni fragment tańca ludowego, takie podlubelskie o'le. Prawie przy tym upada ten odziany w przyciasną brązową marynarkę potomek Szeli.

– Panie Czerwiński, będzie gotówka, przecież znamy się nie od dziś.

– No! – mówi chłop, mamrocze coś jeszcze pod nosem i zawraca.

Michaś oddycha głęboko i uśmiecha się zakłopotany.

– W porządku, zaczynajmy, bo ich tu rozbierze i się posną w ławkach.

– Nieźle podcięci – rzucam.

– To im może pomóc, bo te pieśni śpiewa się zazwyczaj w czasie czuwania przy zmarłym, a wtedy też człowiek trochę pociąga. Olu, słyszysz mnie? – mówi do interkomu. – Możemy zaczynać. Daj znać, gdy będziesz gotowa.

– Jestem gotowa, startuj taśmy.

– Taśmy start... Poszło.

I chłopy z babami rzeczywiście zaczynają zawodzić jak przy marach. Szok. Jakby człowiek miał ukryty magnetofon na normalnych uroczystościach. Jęczą nierówno, raz jakiś głos przebija się ponad inne, zdawałoby się, że wyrasta lider, po czym gaśnie, chrypnie, ktoś inny przejmuje ciężar modlitwy. A melodia jak jakaś pieśń dziadowska, prosta, mędliwa, zapętlona, pełna przypadkowych melizmatów, wynikających ze zmiennej formy śpiewaków. Raz zatrąci Bałkanami, kiedy indziej góralszczyzną. Wszystko przypadkowe, niespójne.

Uśmiecham się zdziwiony, ale nikt mi nie odpowiada, bo Marek ze słuchawkami na uszach jest jednym wielkim nasłuchiwaniem i profesjonalizmem, a Michaś z poważną miną pochyla się nad swoimi notatkami. Siedzę na zydlu i staram się z lamentu chłopstwa zrozumieć cokolwiek. Melodia jest taka, że bardziej pasowałaby do opowieści o krwawej zbrodni z miłości w Turobinie niż o sprawach Bożych. Wsłuchując się uważnie, wyłapuję poszczególne słowa. Jakieś „łojcze"... „płakać". Nie, tamto to było „oj trzeba". „Ucałuje ciebie" czy „ucałuje ziemię"? Jęczą i jęczą straszliwie, nic nie można zrozumieć, a w dodatku zmieniają niektóre wyrazy, żeby było nabożniej. Zamiast „amen" walą „ejmen" – niby z angielska? No, ale przecież rzeczywiście to jest roots, to są korzenie. Tak wygląda to śpiewanie po kościołach, nie jakieś artystyczne pienia na wysokościach, świetnie ustawionymi i zsynchronizowanymi głosami, tylko takie ohydne, dziadowskie lamenty chłopów na poły pijanych wódą, na poły nieszczęściem. Bezzębne dziady i cuchnące baby w chuścinach zanoszą swe lamenty, opłakując Pana Krysta, który umiera na krzyżu.

Skończyła się pierwsza pieśń. Słychać szepty. To Ola motywuje śpiewaków komplementami. Marek rzuca spokojnym głosem w interkom swoje fachowe: „taśma idzie" i za chwilę rozbrzmiewa kolejny lament. Michał na moment odwraca się od miksera i daje mi garść komputerowych wydruków z tekstami pieśni.

– Kawałek numer dwa – rzuca.

I chłopi zaczynają.

Jest drabina do nieba,
Jest drabina do nieba

– śpiewa żałośliwie chór chłopów, a baby dołączają do nich lamentując. Nie widzę ich: realizacja jest tylko audio, ale nietrudno na podstawie wyglądu ich lidera i brzmienia odtworzyć sobie cały ten band: bezmyślne twarze, niektórzy spóźniają się ze startem poszczególnych wersów, przysypiają, a potem z werwą podłączają się znów do śpiewania. Jak w jakimś pekaesie po paru godzinach jazdy. Kimś wstrząsa dreszcz z niewyspania, inny zamlaszcze, to wszystko słychać w niewielkich odsłuchowych kolumnach yamahy.

Michał rzuca szeptem:

– To ich najlepsze.

Z tekstem przed oczyma jestem w stanie wreszcie coś zrozumieć.

Jest drabina do nieba,
Każdemu nią iść trzeba.

Cokolwiek bym powiedział, jakkolwiek szydził, jestem w domu. To jest moje właściwe *Stairway To Heaven*.

Drabina wsparta o krytą strzechą chałupę dziadka ma nierówne szczeble wyślizgane od dłoni wspinających się po niej tyle razy stryjków i stryjenek. Odcień tego drewna, wielokroć moczonego przez deszcze, a potem wygrzewającego się na słońcu, lekko szarawy, łączy się w moich wspomnieniach z sierścią podwórzowego burego kocura.

A chłopi zawodzą:

Przy drabinie stoi krzyż,

babiny włączają się:

Przy drabinie stoi krzyż,
Każdy z nas go musi nieść.

I tu mnie dopada. I tu mnie prześladuje! Chłopi walą mnie tą swoją teologiją jak łopatą w łeb. Myślałeś, że uciekniesz przed prawdą do miasta, do tych limuzyn i garniturków, że wypachniony francuską perfumą, w czarnych trzewiczkach beztrosko pójdziesz do nieba?! O paniczyku, niedoczekanie twoje: *Każdy z nas go musi nieść.* I ty się nie wyłamiesz. Oni to wiedzą.

Ciągną tę pieśń, niespójną kompletnie na poziomie metafor, bo raz jakaś drabina i jeszcze z krzyżem na ramionach trzeba się na nią gramolić, celują we mnie, bo w tym lamencie jest przesłanie, które chciałbym odrzucić, ominąć, odsunąć w czasie. No i w tych chłopach jest prawda o moim pochodzeniu, o całym naszym narodzie.

Przechodzą teraz do detali męki Chrystusa, a ja, mając ich lament za swojskie tło do rozważań, myślę:

zgoda, mogę ponieść ten krzyż, naprawdę go poniosę, okay, wiem, ja też się nie wymigam, ale czy mnie, czterdziestolatkowi, nie wolno, do kurwy nędzy, przez parę choćby miesięcy czuć się panem świata? Czy nie mam prawa do chwili zachwytu? I to właśnie bezmyślnego, nie jakiegoś wysublimowanego, tylko prostego, że coś jest smaczne, że coś ma ładny kształt, że się błyszczy?

Pewnie już odbezpieczono ten granat w moim brzuchu i tyka teraz, odliczając miesiące życia, ale czy facet nie może odetchnąć pełną piersią, czy musi cały czas jęczeć i wzdychać? Czy nie może zakrzyknąć: chwilo, trwaj? Czy musi wszystko sobie obrzydzać? No dobra, jest ta drabina cholerna i wlizę na nią, zaraz mnie tam z radością chłopi swoimi zgrubiałymi od pracy łapami podsadzicie, żebym się pomęczył, ale dajcie mi te parę tygodni, nie pchajcie swoich pieśni przed nos. Przecież Chrystus też posmakował prawdziwego życia! Trzydzieści trzy lata to za jego życia był pełen rozkwit, jak czterdzieści parę w naszych czasach! I co, przecież na pewno oddychał pełną piersią, przecież smakowało mu wino w Kanie Galilejskiej, przecież fantastycznie pachniały mu maści Marii Magdaleny.

Chłopi nadają już coś na Żydów, co to włożyli Jezusowi koronę cierniową na głowę, a ja czuję, jak rośnie we mnie podziw dla swojskiego grania. Rzeczywiście te lamentacje są bardziej autentyczne od salonowych, pełnych ozdobników aranżów jakichś *Stabat Mater*. Dotykają prawdy życia... Bo cóż jest tą prawdą? Znoszenie w tępym milczeniu kolejnych nieszczęść, które zsyła na nas Pan B. Niewgłębianie się w sens tego wszystkiego, co na nas spada, tylko oranie pola, ciężka harówa, potem łyk zimnej wody prosto ze studni, smak cynowego wiadra na wargach i milczenie. Przypominam sobie, jak użalałem się Małgosi na brak sensu w swoim życiu.

Jedziemy alficą do Krakowa katowicką autostradą oboje w słonecznych okularach, od czasu do czasu przesyłamy esemesy przyjaciołom czekającym na nas z kolacją, ja jęczę, że jakoś ostatnio tracę sens, a Gosia na to:

– Poharowałbyś sobie na polu jak twój dziadek, tobyś przestał narzekać i marudzić.

– No fajnie, czyli co, najlepiej się spachać fizycznie, to i myślenie się wygna z głowy?!

– Nie, będziesz wtedy wiedział, kim jesteś i za co dziękować.

– E tam – urywam, bo wiem, że nie jest to takie proste.

Nachodzi mnie rozleniwienie. Nie chce mi się opowiadać Małgosi o tym, jak to kiedyś na mszy w góralskim kościółku przymierzałem się do roli prostego chłopa. I niestety, po pierwszym hauście zachwytu nad takim uproszczonym, wreszcie ustabilizowanym żywotem przyszła od razu fala zwątpienia: przecież te same ambicje i zawiści odrodziłyby się we mnie błyskawicznie, tyle tylko, że wśród innych rekwizytów i z innymi statystami.

Ale w tych pieniach, w lamentacjach dziadowskich na śmierć Chrystusa i śmierć każdego z nas, jest jednak prawda. A jej główny element to wykonujące te utwory chłopstwo. Otępiałe, lekko skute wódą, nieszczęśliwe. Jak jednak przenieść ich prawdę na krakowskie Błonia? Przecież nie da ich się nagłośnić i uczynić elementem wielkiego show. To nie wyjdzie. Jest zbyt toporne, sękate, a poza tym zrozumiałe dla iluś tam panów z miasta, eleganckich mieszczuchów o wypielęgnowanych dłoniach, cierpiących z powodu nudy istnienia.

Tę prawdę, owszem, można będzie wydobyć z chłopskich twarzy i tu trzeba wziąć Jarka i jego ekipę z ręcznymi kamerami, żeby przygotowali przebitki super.

Uśmiecham się na wspomnienie Jarka, który rzeczywiście trzaska niesamowite portrety telewizyjne. Widzę go, jak wzruszony i nakręcony opowiada o projekcie promocyjnego klipu do muzyki Henryka Mikołaja Góreckiego i lekko jąkając się z przejęcia, mówi zgromadzonym kolesiom z agencji reklamowej i sponsorom od telefonów komórkowych:

– Bo twarz to najwspanialsze, co człowiek ma. Jest w niej prawda. To najbardziej fotogeniczny obiekt – robi pauzę, by wybrzmiały te zdania najważniejsze dla założeń spotu.

I nagle w ciszy i skupieniu, jakie udzieliło się tym na co dzień cynicznym gościom, nie kontrolując siebie, strzelam:

– Bez przesady, Jarek. A dupa i cyce?

Wszyscy wybuchają śmiechem.

– No, dupa i cyce też – mówi Jarek i patrzy na mnie z lekko frywolnym uśmiechem.

Oddycham z ulgą, bo przez ułamek sekundy obawiałem się, że Jarek zerwie prezentację. Wszyscy rechoczą, asystentki dolewają do kanciastych szklaneczek soku pomarańczowego z fusami, jedziemy dalej.

Może rzeczywiście wypuścić kilku zuchów z ręcznymi kamerami, żeby robili mi i podawali do wozu przebitki twarzy. Tylko do jakiego punktu w prezentowaniu ludzkiej biedy i smutku się posunąć? I co z tych gąb ma wyniknąć? Oczekiwanie na cud? Ale cud przecież się już zdarzył! Naprawdę zstąpił Duch Twój, Panie, i odnowił oblicze ziemi, tej ziemi. Już więcej nie można. Z ludu powołał najwyższego włodarza, swego namiestnika, o którego modliły się całe generacje zniewolonych rodaków, pokonał tyrana, który niemocen legł zgniły i bezsilny. I naukę swoją podał jak na talerzu przez polskie usta. Czegóż jeszcze oczekiwać?!

Wychodzę z kościoła na ulicę pstrzącą się reklamami zachodnich produktów, widzę odmienione oblicze ziemi, a jednocześnie jakby na przebitkę mam te nieszczęsne twarze Bożego ludu i dociera do mnie, że jest oto po cudzie. I innego, większego już raczej nigdy nie będzie.

Chyba że wszystko się rozpirzy!

godzina 13.40

Skręcam z ronda ONZ w Świętokrzyską, alfa lekko ślizga się na torach tramwajowych. Z lewej strony miejsce, gdzie kiedyś był Instytut Francuski i najelegantsze dziewczyny w Warszawie, i gdzie chodziła - nie odstając od nich specjalnie - moja Gosia. No, może różniła się troszkę pod względem ubioru. Ale sporo ciuchów szyła sobie sama, więc tak strasznie znów nie było. Widzę ją, jak wieczorem nad maszyną do szycia zdmuchuje z oczu grzywkę, jak z wysiłkiem zagryza usta, bo przecież szycie tym rozjechanym łucznikiem to też spory wysiłek fizyczny, wciska się pod ciasną stopkę - tak to się chyba nazywa - gruby dżinsowy materiał i jakoś idzie, a to przecież potrafi walnąć nawet w paznokieć, jakiś koszmar.

Mnóstwo tu teraz sklepików z elektroniką, napstrzonych jak w meksykańskiej dzielnicy. I chylące się ku upadkowi delikatesy, krzywe chodniki, błocko zamiast trawników.

Odbijam w rozgrzebaną jak zwykle Emilii Plater.

A więc umrę jako ortodoksyjny katolik? Na to wygląda. Jako facet, którego siurek ani razu nie był uciskany przez kondom? Zresztą to chyba nie uciska. Kurwa, nie wiem.

I tylko ten dowcip, o aptece, gdzie przy okienku jurny młodzieniec kwestionuje jakość prezerwatyw: „Pani magister, te prezerwatywy są tak słabe, że pękają!" A staruszek z końca kolejki dorzuca słabowitym, skrzekliwym głosikiem: „I zsuwają się!"

Opowiadam ten dowcip, jemy właśnie z Małgosią kolację przy świecach. Dzieciaki na górze, chytrze uśpione. Szampan. Wielkie krewetki podane w masełku czosnkowym, choć zaraz będziemy się wreszcie mogli kochać, bo tak wynika z kalendarzyka. Wygląda na to, że dzisiaj dzień niepłodny.

Śmiejemy się. Kłopoty staruszka. Kłopoty jurnego młodzieńca. Z kondomami.

Czyż nie chciałem zerwać niedawno z tym wszystkim, zostawić tę ortodoksyjną wiarę za sobą i stać się normalnym, niezabobonnym facetem, dzieckiem przełomu wieków? Sceptycznym, nowoczesnym, niezwiązanym kościelnymi przestarzałymi rozstrzygnięciami?

Chciałem to czynić z Chrystusem, ale bez Kościoła. Bo zakazy kościelne przecież blokowały mnie, ograniczały, niszczyły.

Jadąc niedawno schodami na Dworcu Centralnym, miałem nawet wizję, że oto wszystkie moje blokady, przesądy, zahamowania eksplodują nagle i rozsadzają jakiś czakram w moim bulgotliwym brzuchu. A przede mną staje zasmucony Jezus i pyta: koleś, dlaczego przez tyle lat mnie obrażałeś swoim postępowaniem? Dlaczego narzucałeś innym wizję mojej osoby jako ponurego faceta stawiającego ludziom wymagania nie do zrealizowania? Dlaczego stłumiłeś siebie, swoją ekspresję, dlaczego nie szedłeś za głosem serca, za chwilą? Czy sądziłeś, że naprawdę tego chcę? Czy sądziłeś, że takie ponure, stłamszone życie nazywa się Dobrą Nowiną? Koleżko, powiem ci szczerze: przepryskałeś swój czas i nie byłeś moim pojętnym uczniem, ale ukarałeś sam siebie - żyłeś w stłumieniu, nie rozkwitłeś. Szkoda, że swoim fałszywym apostolstwem skrzywdziłeś innych. Biedaku, chodź w me ramiona, nędzny, ograniczony człowieczku.

Tak sobie właśnie roiłem i pomyślałem: why not, czemu nie przerwać tego błędnego koła, czemu by nie wyjść na świeże powietrze, w którym nie czuć przygnębiającej woni kadzidła?

I temu właśnie miała służyć moja wyprawa do Florencji. Serio. Chciałem razem z Gosią stanąć w Galerii Uffizi przed słynnymi obrazami Botticellego, zapowiadającymi nadejście nowej ery, pragnąłem poczuć na skroniach powiew zefiru nowych czasów i wyszeptać jakąś prostą formułę, typu: „Kościół w wielu sprawach jednak się myli, I suppose".

Tak, móc pożegnać stare przesądy, wejść w racjonalne koleiny i mówić, mówić o wszystkim swobodnie, nie lękać się zabobonnie, że złamanie jakiegoś postu albo innego skostniałego zwyczaju zagrozi mojej rodzinie. Chciałem wyprostować się i odtąd spokojnie oddzielać bzdurę od mądrości. Na własną rękę. Według własnego sumienia. Ale właśnie wówczas przypomniały o sobie moje dziwne anioły.

Pogwizdywałem sobie w naszym przedpokoju wyłożonym szarą, imitującą skórę, terakotą, czekając na taksówkę, która miała nas odwieźć na Okęcie. Zadowolony przemyśliwałem nad tym, jak sprawnie działa nasza rodzina, miałem na to nawet zdanie: moja rodzina to dobrze funkcjonująca fabryka.

Chciałem wychwalać swoje małżeństwo w aueroli spełnianego obowiązku, rzetelności, konserwatywnej wierności zasadom. Gdy myślałem, że to bardzo miło, iż udaje mi się nie zdradzać mojej Małgosi, ona zupełnie niespodzianie zagadnęła mnie:

– Wiesz co? Jakie to szczęście, że jesteśmy po ślubie kościelnym i nie musimy grzeszyć, nie musimy robić tego w atmosferze konspiracji i występku.

Zatyka mnie. Ja jak zgred roję sobie konserwatywne dyrdymały, przedstawiam sam siebie jako kolesia panującego nad instynktami, a ona wali prosto w oczy. Przebiegam myślą dziwne miejsca, gdzie podlegając nastrojowi, zachowywaliśmy się zupełnie nieprzystojnie: dworce kolejowe czy zakamary gabinetów i bibliotek, parkowe alejki, a Gosia, nie zauważając mojej konfuzji, mówi dalej:

– Cudzołożylibyśmy, unieszczęśliwialibyśmy naszych mężów i żony, nasze dzieci, a tak, widzisz, jak wszystko się wspaniale układa...

Mruczę coś niezobowiązującego, w rodzaju aj-law-ju-cię. Instynktownie odwracam się, bo moja twarz musi w tym momencie zdradzać potworne zmieszanie. Oto nagle moja ślubna przecina jak mieczem mieszczański stan zadowolenia. Ja – obłudny koleżka, ja, który sądziłem, że swój spokój buduję na okiełznaniu emocji i jakimś stoicyzmie, nagle jestem sprowadzany na ziemię, by właściwie – co? No, jednak przestać robić z siebie cnotliwego, powściągliwego dżentelmena, tylko przyznać: w naszym związku nie ma nic ze szlachetności, jest zwykła, doskonale ulokowana chuć, no i anioły.

Bo gdy już, już miałem wskutek dziwnych przewrotek zdradzać cię, kochana Małgoniu, Pan Bóg, do którego tak żarliwie modlisz się co ranek i wieczór, zawsze zsyłał jakiegoś anioła stróża. Objawiał się różnie. Miał niewyczerpany arsenał środków. Raz był kolesiem, który bez pukania właził do pokoiku na prywatce, gdy rozwijałem już mój bajer, kiedy indziej był nagłymi kłopotami żołądkowymi, powodującymi, że zgięty wpół nad umywalką dochodziłem i osiągałem rozkosz – wypróżnienia się. A jeszcze innym razem anioły stosowały bardziej radykalne formy leczenia mnie ze zdradzieckich pomysłów.

Wspomnienia z florenckiej wyprawy, przywoływane przez fotografie, to przede wszystkim światło. Światło na jej twarzy. Łagodne, miękkie, wygładzające wszelkie nierówności i czyniące ją szczęśliwą i wypoczętą. Patrząc na zdjęcia, nikt nie przypisałby Małgosi trzydziestu siedmiu lat i pięciorga dzieci. Rozświetlona wewnętrznym promieniowaniem i ciepłem twarz nie wymagała ani grama pudru: delikatnie zarumienione policzki, oczy, w których igrały figlarne iskierki i powietrze, dużo powietrza – wilgotnego, łagodnie pieszczącego jasne krótkie włosy, relaksującego skórę, pozwalającego odetchnąć płucom.

Zmęczona latami małżeństwa, porodami, opieką nad dziećmi pełnymi żądań i wciąż nowych pomysłów, odzyskiwała piękno. Jakby całe życie trwała tu – wśród renesansowych pałaców, gotyckich kamienic ukrytych w cudownie asymetrycznych zaułkach, wśród przedziwnych mostów obłożonych niczym muszelkami straganami i warsztatami, przewrotnych pejzaży, gdzie góry mieszają się z morzem, gdzie rosną bajkowe rośliny, jakby przeniesione z – wydawałoby się, zmyślonych w pracowniach malarzy – drugich planów.

Patrząc na nią, pieszczoną nieziemskim światłem, nikt nie odkryłby naszych wewnętrznych krajobrazów, pośród których przepędziliśmy życie: beznadziejnej, chłostanej deszczowymi wiatrami równiny pełnej kałuż, błota i zmarzlin, brzydkich szarych bloków, miast o przetrąconych kręgosłupach i zagubionych proporcjach. Patrząc na jej uśmiech, który odsłaniał białe, równe zęby, nikt nie pomyślałby o ohydzie herbaty pitej dzień w dzień przez miesiące i lata ze wstrętnych, wyszczerbionych naczyń, nikt nie odtworzyłby wyglądu i zapachu naszej klatki schodowej pełnej wyziewów ze zsypu.

Trik był prosty: funkcja „fill in" w moim olympusie. Mały błysk lampy i na standardowej taśmie fuji stawał się cud. Cud, o który przecież się modliłem. Żeby móc cofnąć czas, żeby móc wynagrodzić tą wyprawą wszystkie miesiące przebiedowane w zimnym kraju, gdzie przyszło nam tracić młodość.

I zdjęcia ten cud czyniły: nasza wrześniowa włoska podróż, podróż małżeństwa o piętnastoletnim stażu, już na zawsze filtrowana będzie przez te fotografie. Robione oszczędnie, w mało zróżnicowany sposób: zazwyczaj ona na pierwszym planie, bardzo blisko, a za nią krajobraz, miasto z wieżą, kanał, czerwone dachy kamienic, laguna. Więc przywoziłem z Italii cykl jej portretów, a nie fotki zabytków czy reporterskie migawki.

Och – Małgosia! Moja kobieta! Jakże migotliwa w wyobrażeniach, które wahały się, zmieniały filtry. Najpierw była krótko obciętą blond główką i zachrypniętym głosem. Siedziała na przednim siedzeniu syreny bosto, a ja widziałem nawet nie jej profil, tylko tył głowy i koniuszek nosa. Teoretycy malarstwa mają pewnie swoją nazwę na określenie takiego rzutu postaci: lekko skośnie, od tyłu. Ale kogóż przedstawia się tak na obrazach, najwyżej epizodyczną postać, jakąś pastereczkę czy pazia, a nie jedyną kobietę życia. Potem, w ten pierwszy wieczór, filtry, przez które spoglądałem na Gosię, już w niej zakochany, już wiedząc, że ona jest tą jedyną, zmieniały się wielokrotnie. Najpierw, w syrence, pokochałem niesforną blondynkę z niskim głosem, dmuchającą raz po raz na grzywkę, która wpadała jej w oczy. Potem, po kilkunastu minutach rozmowy, pokochałem w niej małą, kruchą roślinkę, jaką będę chciał opiekować się przez całe życie, wreszcie spostrzegłem zgrabne nogi, a przede wszystkim piersi ukryte pod białą bawełnianą koszulą, których zdobycie będzie spędzało mi sen z powiek przez nadchodzące noce. W jej oczach mieszkało niebo i bez względu na to, które jej wyobrażenie akurat dominowało, byłem pewien, że ona właśnie jest moją Beatrycze i już nigdy nie będzie innej. Po prostu –

mówiłem sobie, nieświadom sztuczek, jakie w życiowej grze zastawi na mnie los – takich oczu, z taką miękkością i kochaniem nie może mieć nikt inny na świecie.

Zabierałem ją więc do Włoch po piętnastu latach małżeństwa, żeby zerwać z katolicyzmem? Coś takiego tliło się w mojej głowie i stąd ten dziwny uśmiech, z jakim przygotowując się do wyprawy, oglądałem reprodukcję *Wygnania z raju* Masaccia. Tak, chciałem wreszcie popełnić to przekroczenie, wyjść na otwartą przestrzeń, a niechby tam nad nami i polatywał jakiś wkurzony anioł, i wypowiedzieć to, rozglądając się po zielonej łące: hm, obawiam się, że Kościół nie ma racji. Chciałem tak rzec, zamknąć to jakąś lakoniczną formułą, bez nadmiernego roztkliwiania się nad sobą czy tłumaczenia. Zwieńczenie długiej drogi i zdanie: oznajmujące, prawdziwe, męskie.

Staliśmy lekko spoceni w kaplicy Brancaccich, nieuważni, kwitując to, co wyczytaliśmy w przewodnikach. Rozpoznawaliśmy anegdoty z życia świętych i doznawaliśmy tej beznadziejnej satysfakcji ludzi konfrontujących bedeker z rzeczywistością. Czuliśmy się trochę jak dzieci, które podejrzały w szafach rodziców prezenty naszykowane pod choinkę i w czasie Wigilii kosztują gorzki smak falstartu, uśmiechami starając się kryć głębokie rozczarowanie.

Tak, wszystko się zgadzało, tylko co z tego? Nawet *Wygnanie z raju*, przenicowane przez dziesiątki udatnych interpretacji, nie dostarczało pożywki dla uczuciowych podróży i konfrontacji. Budziło raczej podejrzenia podobne do tych, których nabieramy, kiedy oglądamy rysunek maluszka objawiający niekonwencjonalny talent: nie wiesz, co jest świadomym zerwaniem z werystycznym realizmem, a co efektem zwykłej nieudolności.

Mieliśmy już iść, wymieniwszy złośliwości na temat przereklamowanego Masaccia, ale gdy po raz ostatni rzuciłem okiem na wielki obraz z aniołem, który z ognistym mieczem w dłoni wyganiał grzeszną parkę na świat, nagle uświadomiłem sobie, że Ewa z twarzą będącą jednym wielkim emblematem rozpaczy, z ustami zmęczonymi bezustannym lamentem, z ciałem zwalistym, niezbyt foremnym, ale niezwykle jednak kobiecym, to po prostu Basia. Basia z tego koszmarnego spaceru rozgrzebanymi, zabłoconymi przez ciężarówki ulicami Służewca Przemysłowego. Idziemy, w twarze zacina nam deszcz, cóż z tego, że letni, skoro bardzo szybko robi nam się niewiarygodnie zimno. Ja w T-shircie, ona w białej, odświętnej koszuli, która szybko przemaka i oblepia jej pełne ciało. Rzucona przez Wojtka sonduje możliwość jego powrotu. Ja, zdziwiony trochę rolą, jaką mi przeznacza, niepewnym głosem klaruję jej, że chyba ich związek nie ma szans, bo przecież Wojtek przez całe liceum robił skoki w bok i to chyba zdrowsze dla obojga, że wreszcie ten układ się kończy.

– Zasługujesz na coś więcej niż taka wieczna szamotanina, sama wiesz, że Wojtek nigdy się nie ustatkuje – mówię i jest to szczere, a nawet nieco skurwysyńskie, bo sam czuję kropelkę pożądania.

Basia jest dość pokaźnych rozmiarów, ale nogi ma dobrze uformowane i gdy włoży wysoki obcas, wygląda na prawdziwą damę. Nie jakąś podfruwajkę czy studentkę, ale kawał zgrabnej kobiety. Nieraz w szkole marzyłem o jej wielkich piersiach, a wyobrażenie tego, co zrobiłaby ze mną swoimi długimi, zawsze starannie umalowanym palcami, przyprawiało mnie o drżenie.

– Nic nie rozumiesz! – krzyczy nagle. – Ja noszę jego dziecko!

Patrzę na nią z przerażeniem: oboje mamy po osiemnaście lat i dopiero co zdaną maturę.

– Jego dziecko! – wrzeszczy i przechodzi w jakiś skowyt.

Deszcz rozmazał już tusz i zeszpecił twarz tej zdaniem naszych rodziców najbardziej szykownej dziewczyny w liceum. Widzę, czym jest rozpacz, i widzę, że życie, które nosi w sobie, nie ma najmniejszych szans na ratunek. Basia z lenistwem w ruchach obiecującym długie, systematyczne narastanie rozkoszy, Basia potrafiąca trzymać papierosa jak prawdziwa dama, z wielkim ciałem pełnym kuszących zakamarków, nagle odarta z wszelkiego wdzięku wychodzi z raju niewinności, a jej twarz pokazuje, czym jest wyruszenie w dorosłość.

Czy o takiej ucieczce na łąkę marzyłem? Czy takiej kontemplacji oczekiwałem? Brutalny Masaccio sprowadza mnie nagle na ziemię. Wychodzimy z kościoła na brudny plac ogrodzony ciężkimi i bezsensownymi łańcuchami, z zaparkowanymi pordzewiałymi skuterami.

Wraz z podmuchem chłodnego wiatru nadchodzi pierwsze otrzeźwienie.

Ale pełnię pragnąłem osiągnąć przed innymi obrazami: *Primaverą* i *Narodzinami Wenus*. Tak, tam chciałem podjąć nowe śluby: ślub wierności samemu sobie, swoim intuicjom, chciałem wypłynąć na ocean indywidualizmu, podmuchami nimf kierowany, delikatny, zwiewny chciałem płynąć ku nieznanemu.

Wśród odrapanych, nieodmalowanych ścian Galerii Uffizi, na banalnej podłodze w pomarańczowo-czerwonawe kwadraty, przed *Primaverą* chciałem złożyć nową przysięgę. I już, już swoim staniem, swoim podziwem miałem skłonić Małgochę do oddania wraz ze mną hołdu tym dziwacznym obrazom zwiastującym nową erę, ale ona wciąż jeszcze oglądała jakieś wytwory sztuki wczesnośredniowiecznej, usiadłem więc na wyściełanej skajem ławie umieszczonej na środku sali. Syciłem się chwilą, syciłem się tą fantastyczną Florencją: miastem prawdziwych wariatów metafizycznych. Jak ten, napotkany dwie godziny temu u wylotu starego mostu, nagi do pasa, siwy niby to pustelnik, chude, spalone słońcem ciało z wystającymi żebrami, rozwiana broda i zapuszczony włos, lniane portki i sandały. I roztargnione ręce, a jedna obejmująca piękne, wpatrzone weń niebieskookie dziewczę z ekologicznymi, mlecznymi piersiami falującymi pod bawełnianą sukienką jak u jakiegoś wielbłąda. Może spieszy właśnie na karmienie dzidziusia, którego mu urodziła, kto wie? Na ich widok uśmiecham się, bo wszystko mi się zgadza: super

Florencja i ten wspaniały metafizyczny bajerant, pustelnik, który już – tu i teraz – otrzymuje nagrodę za swoje medytacje.

Gosia nie zjawia się. Czyżby zafascynowały ją te wszystkie najeżone pikami *Bitwy pod San Romano* i inne starocie? Lekko zniecierpliwiony podchodzę do przeciwległej ściany i leniwie oglądam obrazy. Mój wzrok spoczywa nagle na *Zwiastowaniu*. I w tym momencie wiem, że jestem trafiony. Maryja przestylizowana jak to kobiety Botticellego, wygięta w jakąś niesamowitą literę S, i klęczący przed nią, atakujący tym klęczeniem, jakby sunął ku niej niczym ta ciężka kula na lodzie poprzedzana miotełkami, anioł. Anioł ze sztywną jak z blachy palmą. Wszystko niby to nienaturalne, upozowane, odświętne, ale dla mnie przecież jest oczywiste, że to kipiący od zmysłowości obraz. Przed oczyma staje mi Gosia w wielu sytuacjach, gdy jeszcze opiera się, broni, wymawia terminami, wstydem, niestosownością miejsca i czasu, ale już jej ciało, jej biodra zmierzają ku spełnieniu i ten jej taniec, gdy kielich już przywiera, a jeszcze głowa odchylona, aż wreszcie podaje usta, czasem niepotrzebnie, skoro trudniejsze twierdze już zdobyte. Wspomnienie ekwilibrystycznych póz przywołuje na pamięć pralkę automatyczną, na której ją posadziłem, pralkę, której wirowanie wzbogaciło tylko rytm naszej miłości. Byłem ugotowany. Stałem przed tym chrześcijańskim Botticellim i cały mój zapał dla Wiosen i Wenus odlatywał.

Wtem cicho nadeszła Małgosia. Pomilczała trochę, popatrzyła i przytuliła się do moich pleców, mówiąc cicho: „to ja".

Czy komunikowała swoje nadejście, czy może dostrzegła to, co było dla mnie ewidentne w obrazie Botticellego? Nie chciałem pytać, by nie burzyć nastroju. Swoim „to ja" puentowała całą naszą włoską wyprawę, rozpoczętą tak mocno jej monologiem w przedpokoju o naszej namiętności. Wzruszenie mieszało się we mnie z rozczarowaniem, durnym jakimś, inteligenckim rozczarowaniem, że nie ma dla mnie wyjścia z katolickich krajobrazów, że tak jak dawniej umiejscawiałem sobie zwiastowanie w malutkiej, barwionej błękitną farbką izdebce mojej babci, która obudzona gramoli się spod pierzyny i widzi świetlistego anioła, tak teraz mój religijny świat zostaje wzbogacony dodatkowym tropem: moją Małgorzatą, ludzi rodzicielką. Kobietą, właściwie dziewczynką, która kiedyś uwierzyła moim katolickim bajerom, och, niewiele mnie przecież różniło od napotkanego dziś na florenckich kocich łbach pustelnika, i trzymając mnie za słowo, stworzyła wielodzietną rodzinę.

Komóra znów pika, informując, że mam wiadomość. Sprawdzam, co tam nadeszło. Od Kasi. Z biura.

„Piotr potwierdza spotkanie. Przypominam o zdjęciach. Godz. 14.30. Aneta Dragańska. Ulica Brauna 11 m. 48. Miłego dnia - Kasia".

Jakbym nie znał tego adresu. Aneta to żona Sławka, o którym robię dokument. Dziś mamy nagrać jej wypowiedź. Sam Sławek jest teraz w Krakowie na jakiejś sesji, inaczej bym już do niego dzwonił, bo to gość, który na pewno pomógłby mi w moim papieskim projekcie. Pamiętam efektowny finał jednego z jego esejów, gdy mówił o spieraniu się z Janem Pawłem II, nawet o buncie przeciw niemu, i dorzucał: dobrze, że jesteś, ojcze. Jest w porządku, po spotkaniu z Piotrem powinienem akurat zdążyć na Mokotów, na nagranie.

godzina 14.05

Siedzę i dziubię widelcem w drugi już serniczek. Herbaciarnię umieszczono dość dziwacznie prawie że pod ruchomymi schodami w przejściu między Marriottem a Dworcem Centralnym. Toteż czy zimą, czy latem zawsze panują tu niezłe przeciągi. Zapylone kolejowe powietrze. Atmosfera tymczasowości. Siedząc na sztywnych krzesłach, można się pogapić na przechodzących ludzi, od momentu, gdy wkraczają w niebezpieczne jak w każdej komedii kręcone drzwi, aż po chwilę, gdy unoszeni schodami ruchomymi giną w przedsionkach hotelu Marriott.

Kelnerka jest w porządku. Ubrana w zielony firmowy fartuszek, drobna, o niewyzywającej domowej urodzie, bez jakichś specjalnych krągłości czy wcięcia w talii. Krótkie kasztanowe włosy podgięte lekko na delikatnej szyi, powściągliwe, jakby stulone usta, duże ciemne oczy. Raczej obserwatorka dodająca otuchy ciepłym spojrzeniem niż gaduła. Świetnie pasuje do tych wszystkich pięknych pudełeczek z herbatą, pastelowych imbryczków i fajansowych kubków pozwalających przetrwać w domu najsroższą zimę. Takich pokój niosących sprzętów.

A Piotr nawija i nawija. Ściągnąłem go tu, prosząc o radę w sprawie telewizyjnej dyskusji o pontyfikacie. Może liczy na występ? Ale przecież go nie nabieram, spoko, w budżecie na pewno będzie sporo pieniędzy na konsultacje. Już od pierwszych minut widzę jednak, że ten rudy, lekko łysiejący brodacz nie jest w stanie mnie zainspirować. Gada i gada takie okrągłe rzeczy, że mógłbym kupić sobie w kiosku gazetę, zamiast tracić tu czas. Ale Piotr ma jakieś przełożenia w episkopacie, więc gdyby walka o projekt nabrała rumieńców, nieźle byłoby mieć takiego sojusznika. Lobbying to lobbying.

– Ja bym zaakcentował to, co łączy wszystkich w ocenie tego pontyfikatu.

– A co łączy? – wbrew sobie pytam trochę napastliwie i boję się, że nie wytrzymam. Ile zdołam jeszcze łyknąć tego budyniu? Gdy tylko ujrzałem Piotra, jak miesza cukier w herbatce, lekko przygarbiony, z wyrazem wspaniałej tolerancji na twarzy, zrozumiałem, że całe to spotkanie na nic.

– Krytyczne spojrzenie na historię Kościoła i wielkie papieskie „przepraszam". Za inkwizycję, za przemoc w nawracaniu na chrześcijaństwo. Chyba to jest największe w naszym papieżu. I niepowtarzalne.

– Niepowtarzalne? – pytam i uśmiecham się sam do siebie. Ciekawe, czy Piotruś rzeczywiście wierzy w ten banał, bo że interes na tym można zrobić świetny, to pewne. Każdy by tylko przepraszał i przepraszał. Przecież to jak gra w komórki do wynajęcia. Przepraszasz, czujesz swoją wielkość moralną i wyższość, odcinasz się od przodków i czekasz tylko, kto się wychyli i powie, że on nie przeprasza. Wtedy przypierdalasz. I robisz z niego zaprzańca, faszystę, ciemniaka.

Piotr, jakby nie zauważał mojego roztargnienia, ciągnie:

– Papież czyni wreszcie z Kościoła wspólnotę naprawdę chrystusową, to znaczy pyta serio, co Chrystus zrobiłby na jego miejscu. Czy pozwalałby na przemoc w swoim imieniu, czy dławiłby krytykę, gwałcił sumienia... – Piotruś wyraźnie rozmarza się i już widzę, że koleś ma po prostu smykałkę do takich lirycznych wylewów. Podoba się sobie w roli wrażliwego etycznie i sądzi, że jest to cholernie potrzebne światu. A może to dlatego, że jest rudy? Rudzielec! Rudzielec! – krzyczano pewnie za nim w przedszkolu, musi więc odreagować lata prześladowań.

– Piotrek, ale to nie może przesłaniać nauczycielskiej funkcji Kościoła.

– Zgodzisz się chyba, że najlepiej uczyć przykładem. Pokazać pokorę, pokazać miłość, wyjść od rachunku własnego sumienia.

– No właśnie: własnego!

– Tak, własnego! – potwierdza Piotr, a uśmiech jezusowy błąka się na jego ustach. Oj, Piotrze, Piotrze, mnie nie nabierzesz, może dlatego, że sam próbowałem tych bajerów i wiem, jakie są przyjemne.

– Piotr – mówię – przepraszanie w imieniu krzyżowców naprawdę jest czymś dziwacznym. Po pierwsze, to zbyt łatwe, a po drugie, kompletnie ahistoryczne! – podnoszę głos i orientuję się, że brnę w zupełnie niepotrzebne gadki.

– Ale chyba przykazanie „nie zabijaj" jest wieczne? – pyta z ironią.

– Okay, tylko że nie wiesz, w jakim stopniu wyprawy krzyżowe były samoobroną cywilizacji! – znów podnoszę głos i uświadamiam sobie, że jak Piotra grzeje rola pokornego Jezuska, tak ja dobrze widzę siebie w zbroi Chrystusowego żołdaka. – No i po zamachu na WTC przeprosinki za krucjaty będą trochę trudniejsze i może do nich w ogóle nie dojść.

– Dobrze, dla mnie jednak ten kierunek papieskiej posługi jest zdecydowanie najbardziej inspirujący dla przyszłości – łagodzi sprawę Piotr. Ale on też ma swojego mola, co go ćmola, więc dorzuca: – Mam nadzieję, że papieżowi zostanie zapomniane uparte trwanie przy anachronicznej obyczajowości, kurczowe trzymanie się zasady celibatu, sprzeciw wobec antykoncepcji... Na szczęście to jest do szybkiego naprawienia przez następcę – mówi i patrzy na mnie trochę kpiarsko.

– Tylko jeśli Kościół na tyle by się dostosował do świata, to nie pozostanie mu nic innego, jak zwinąć kramik, a pozostałe aktywa spieniężyć i wręczyć jakimś organizacjom charytatywnym! – mówię, a myślę sobie: o, Piotrusiu, miłośniku tolerancji, na tym właśnie się przejechałeś. Czyż nie z tego powodu rozpierniczyła ci się rodzina? Przecież twoja gryzoniowata żonka, puszczając cię w trąbę ze współmiłośnikiem tolerancji, miała głowę pełną twoich sloganów o anachronicznej obyczajowości. Nadal za tym obstajesz? I będziesz tego uczył swojego synka? Czy nie pamiętasz już, jak dzieląc dobytek, kulturalnie rzucaliście w siebie książkami? Czy głośna na całą Warszawę historia, jak oberwałeś w dyńkę *Życiem seksualnym dzikich* Malinowskiego, nie dała ci do myślenia?! Piotrze, ocknij się!

Tak sobie myślę, ale przecież głośno tego nie powiem. Dlaczego? Bo to jest sprawa osobista Pietii, a tu gadamy o zasadach ogólnych.

– Nie przesadzaj – traktuje mnie łagodnym wzrokiem zawodowego zwolennika tolerancji. – Kościół to przecież nie tylko seks – uśmiecha się niby wyzwolony, patrząc na mnie jak na jakiegoś kalekę, któremu tylko seksualne zakazy w głowie.

Czy to nie przez takie rozmowy dostaję pierdolca?

Jak wtedy, gdy mkniemy z Małgosią nad Atlantykiem. Samolot osiągnął już odpowiednią wysokość. Loty mają jeszcze tę swoją niewinność sprzed 11 września.

Nikt nie szarpie się na widok Araba, wszyscy zadowoleni, pełni braterskich uczuć – braci w dobrobycie – drzemią, bezpiecznie unoszeni w przestworzach. Od czasu do czasu niczym delikatne odbicie w pełnym brzuszku odzywa się dyskretny gong wewnętrznej sygnalizacji. Sytość. Sytość. Sytość. Na mapie wyświetlanej na wielkim ekranie przesuwa się rysunek naszego samolociku.

Wracam do Gosi. Mówię:

– Okay, wszystko obliczone – i prycham ze śmiechu.

Sadowię się obok niej i jeszcze raz wyciągam piersióweczkę whiskacza. Biorę potężnego łyka, aż alkohol, waląc w podniebienie, pali mnie i pozbawia tchu. Wzdrygam się, Gocha rzuca swoje obowiązkowe „no i widzisz", a ja czuję, jak przepala mi przełyk. Macham ręką, jakbym chciał zdmuchnąć płomienie buchające z ust.

– Coli! – charczę, trochę się zagrywając. – Coli! Naciskam na guzik przywołujący stewardesę. Przychodzi. Dosyć leciwe babiszcze i pozbawione jakiegokolwiek wabika. Ot, fachowa, bezduszna pielęgniarka. – May I ask you for one more coke?

Uśmiecha się zawodowo, of course, i zmyka po puszeczkę.

Co jak co, ale stewardesy ostatnio się bardzo popsuły. Dawniej był to prestiżowy zawód pozwalający wielu ładnym dziewuchom wyrwać się z zapyziałych grajdołów w świat. Teraz chyba stracił swą kusicielską moc i pokłady samolotów zaludniają jakieś kaszany i balerony.

Nachylam się do zgrabniutkiego ucha Małgoni, a akurat lewe ma szczególnie wzruszające, bo lekko jakby nadgryzione: takie malutkie, milimetrowe niedociągnięcie Stwórcy. I szepczę:

– Gocha, zaraz zaczynamy, tylko muszę się coli napić – zaśmiewam się i prycham, a ona kuli się i gwałtownie odsuwa ode mnie twarz.

– Weź, koleś, nie dmuchaj mi w ucho.

A ja, nie mogąc się powstrzymać od śmiechu, ścigam jej ucho i dalej szepczę:

– Niby coś ci wpadło w oko. Masz jednorazówę do nosa?

– Mam.

– Daj.

Schyla się, żeby wyciągnąć chusteczkę z kieszeni w oparciu fotela, zagarnia kosmyk blond włosów za ucho, a ja podążam za nią głową i przechodzę już na normalny ton głosu:

– Punkt pierwszy planu: wstajemy razem. Ty trzesz oko. – Głośno wciągam powietrze. – Albo poczekaj, jeszcze sobie dziabnę. – Przechylam butelkę i bursztynowy eliksir wlewa się we mnie, znów podrażnia przełyk, ale już delikatniej. Przytrzymuję trochę w ustach i po chwili daję spokojnie spłynąć do gardła.

Dlaczego to robiłem? Może jednak po to, by przekonać samego siebie, że jestem jak wszyscy? Że to nie sprawa mojego feleru, niedostatku hormonów, niedoróbki materiału. Może chodziło właśnie o to, żeby rozmawiając z takimi Piotrusiami, nie spuszczać wstydliwie oczu?

Idziemy między siedzeniami, obok drzemiących przeróżnych zgredów, zaśmiewając się. Jakiś siwy gościu o wyglądzie korespondenta wojennego: opalony, pobrużdżona twarz, rozpięta na piersiach koszula khaki, zerka na nas krytycznie spod grzywy siwych włosów. Wal się, fac! Staruszka o pergaminowej twarzy, w granatowym kapelusiku zdobionym kiścią winogron, ciumka przez sen.

Gosi spada na ziemię ta nieszczęsna chusteczka, podnoszę ją, zaśmiewając się, powtarzam „eye in danger, eye in danger" i wtarabaniamy się do toalety...

Całujemy się pospiesznie, obejmuję silnie Gosię i zdecydowanym ruchem podsadzam na półeczkę z umywalką. Kibelek śmierdzi chlorem, ale jest całkiem zabawnie, a ode mnie tak wali gorzała, że unieważnia te wszelkie aromaty. Rozbawiony, rozchichotany nagle spostrzegam, że Gocha jest już gotowa. Przywiera do mnie udami, ociera się gwałtownie, chce już mnie przyjąć. Widzę w zmatowiałym lusterku, jak z mojej twarzy znika uśmiech. Wciąż trąc się o siebie, całując, błądząc po sobie dłońmi, przygotowujemy się do kulminacji.

Ale przecież Małgosia też tego chciała. Specjalnie na tę podróż włożyła pończochy i spódnicę, żeby uczestniczyć w moich radosnych eksperymentach. Jej ręce zaczynają trzepotać jak skrzydła rannego ptaka. Wyprężoną dłonią zrzuca coś na podłogę. To pewnie jakiś pojemnik z mydłem. „Cicho! Cicho!" – jęczy, mityguje sama siebie i zaciska zęby na mojej bluzie. Jeszcze coś leci na podłogę, trzeszczy ścianka, o którą wsparła się nogą...

– Kościół to nie tylko obrońca anachronicznej moralności – ciągnie Piotr, kompletnie niezrażony moim niewyraźnym wzrokiem. – To także wielka tradycja duchowych poszukiwań. To przede wszystkim strażnik sacrum, świadek metafizycznej perspektywy życia...

A! Tu cię mam. Liryka z sacrum. Rzeczywiście nasz rudy Piotruś złapał ostatnio dryg do pisania quasi-religijnych eseików, suto podlewanych sakrumenckim językiem. Sacrum, sacrum, sacrum. To takie wygodne, prawda? I można się powzruszać samym sobą...

– I poza tym zasługą tego papieża jest na pewno pokazanie mimo wszystko prymatu indywidualnego sumienia nad nauczaniem Kościoła.

Tu już nie wytrzymuję. Wiem, że powinienem siedzieć cicho i potakiwać. Wydane właśnie przez Piotra *Wyznania sceptycznego ministranta* robią u wielu biskupów prawdziwą furorę i lepiej go mieć po swojej stronie, ale samo mi się wyrywa:

– Piotrze, ale takie zdanie nigdy nie padło! To wymyślili jacyś interpretatorzy w „Tygodniku"!

Upijam łyk chłodnej już herbaty. Dokładnie przypominam sobie ten dzień, gdy przeczytałem coś w tym rodzaju. Z uśmiechem składam wielkie płachty gazety i nic nie mówiąc Małgosi, wymykam się na rowerze do kiosku parafialnego po polskie wydanie nowego katechizmu. Czyżby wreszcie Kościół odpuścił i pozwoli ludziom na trochę swobody? Biorę granatową księgę. Kartkuję i - bryndza. Niczego tam nie znajduję. Wręcz przeciwnie. Paragraf któryś-tam-któryś: twarde i jednoznaczne, bezduszne „nie" dla antykoncepcji. Rozpirza wszelkie nadzieje.

I może dlatego ścianka w toalecie boeinga podlega takim ostrym przeciążeniom? Nie, nie, że odreagowuję. Raczej próbuję sobie udowodnić, tu, w tej małej klitce pokrytej dziwnym plastikiem o kremowym odcieniu, że katole rzeczywiście są najlepsi w seksie, że połączenie poczucia winy, lęku, stłumień daje rewelacyjną miksturę.

godzina 14.35

Od dworcowych posadzek wali zimno jak cholera, przebijając z łatwością skórzane podeszwy i ignorując nawet aluminiowe wkładki do butów reklamowane obrazkami z bieguna północnego. Potworny ziąb. Idę skulony wśród tego popapranego tłumu przybyszów poszukujących w Warszawie swojej szansy. Ortaliony, jesionki. Ale i ja nie odbiegam specjalnie od nich ubraniem. Jak to określił Maciek? A, wiem, wyglądam jak spełniony sen ruskiego mafiosa. Rzeczywiście moja czarna skórzana kurtka narzucona na marynarkę jest trochę za delikatna i w żaden sposób nie kojarzy się z rockandrollowością. Ale tak to jest, gdy kupuje się ubranie po pijaku. Jestem wściekły na Piotra i na siebie za tę przegadaną godzinę.

Przecież milczałem nie tylko dlatego, że nie chciałem stracić ewentualnego sojusznika w tym mitycznym episkopacie! Zawsze się czułem źle w takich potyczkach. Miałem za dużo wątpliwości, sam targany byłem zbyt wieloma namiętnościami, by nagle objawiać się jak dziewicza lilija.

Dlatego pewnie tak zapatrzony byłem w Sławka.

Jego przyjazd, cokolwiek później o tym mówiono, był objawieniem. Wrócił z Nowego Jorku, gdzie terminował, chyba za zasługi dla podziemnej „Solidarności", w jakimś polonijnym dzienniku, ale przede wszystkim siedząc przez parę lat w Stanach - czytał. Czytał i słuchał radia. Intelektualną rewoltę przeciw politycznej poprawności miał w małym palcu. Cytował najśmielsze dowcipy amerykańskich gwiazd radiowych, wytaczane przeciw permisywnej kulturze, rozmywającej podział na dobro i zło, znał *Umysł zamknięty* i inne znakomite filipiki neokonserwatystów przeciw duchowi współczesności. I tak wyedukowany wpadał do Polski, gdzie deprawowanie społeczeństwa dopiero się zaczynało.

Wpadał i dostawał wspaniały prezent: krajowi reformatorzy z butnymi minami wkraczali do akcji uzbrojeni w prymitywne jak cepy narzędzia. Biedni naprawiacze społeczeństwa byli zupełnie nieświadomi tego, że wśród zabobonnych tubylców, wśród umajonych świątków i kapliczek znajdzie się facet, który od nowojorskich Żydów, z lektury „Commentary", z nasłuchów radiowych przyrządził już doskonałą broń obronną. Tak, Sławek wiedział, że jest tylko jedno lekarstwo: wybuchowa mieszanka zdrowego rozsądku połączonego z eskalowaniem pomysłów reformatorów świata. Że tu nie można się cofnąć albo spłonić rumieńcem panieńskiego wstydu. Chcecie gadać o seksie: okay, karty na stół, gadajmy, ale pomówmy też o tym, jak to robią wasi rodzice, jak wasze dzieci, wdzierajmy się na prywatne pola, obejrzyjmy to sobie. Zastanów się, lewaku, czemu ciebie nie wyskrobali. Chcecie gadać o eutanazji, no ale konkretnie kogo chcesz dziabnąć: swojego tatusia czy mamusię? Opowiadacie się za legalizacją związków homoseksualnych, a dlaczego nie zoofilskich? W porządku – wymyślimy tak postępowe rozwiązania, że wam w pięty pójdzie.

A do tego Sławek był jeszcze świetnie wykształcony filologicznie i do swoich importowanych chwytów dorzucał lokalne trzy grosze.

Przygotowywałem akurat program telewizyjny o młodej literaturze, więc gdy dowiedziałem się, że wrócił do Polski, bardzo szybko umówiłem się z nim na rozmowę. Spotkanie wyznaczył zupełnie idiotycznie w kawiarni „Konsul" – w okolicach ambasady amerykańskiej, gdzie zazwyczaj odpoczywały kurwy, cinkciarze i alfonsi. Ale on nie był z Warszawy – pochodził z Łodzi, a później studiował na KUL-u i nie łapał tych subtelności, do którego lokalu się chodzi, a który w ogóle nie istnieje na mapie.

październik 1990

Siedzę naprzeciw niego, umiera lato i rodzi się właśnie polska niepodległość. Czujemy, że taki właśnie historyczny wymiar mają te dni, że zbliżające się pierwsze powszechne wybory prezydenckie to będzie naprawdę coś, a jednocześnie dostrzegamy, że wszystko jest takie tandetne, małe, karykaturalne, jakby chciało się zamknąć w piosence zespołu „Scorpions" - *Wind Of Changes*. Ten patetyczny pop przybrany w pozy niby ostrego gitarowego grania, niestety ów kicz jest jedynym artystycznym wykwitem, jaki wówczas komentuje zachodzące zmiany.

Chłopcy z „ga-Galerii" jeszcze nie dojrzeli, przybierają jakieś gówniarskie pozy, publikują wiersze i malują graffiti, jakby samogwałt był największym problemem społecznym, Szuwar udziela wywiadu *Pochwała szczeniactwa* i w ogóle jest dziwacznie.

Ale na naszych oczach dzieje się historia. Dzieje się historia i dzieje się za łatwo, jakoś tak en passant. Widzimy, jak nasi koledzy stają się nagle posłami, jak faceci, którzy niedawno robili w gacie ze strachu i nie chcieli rozklejać prościutkich ulotek, piszą sążniste artykulasy, nauczając ludzi, co mają sądzić o świecie i polityce. Wiemy, że jest jeszcze ileś tam niezagospodarowanych miejsc i ról do odegrania. Wiatr zmian wieje jak opętany, nogawki spodni furkają zabawnie, czasem ktoś się odrywa i daje ponieść hen w dal, w górę. Mądrale z uniwersytetu snują analogie z czasami pierwszego odzyskania niepodległości z 1918 roku, rozchełstanych artystów skupionych wokół „ga-Galerii" przyrównują do zbuntowanych poetów międzywojnia odrzucających patriotyczne obowiązki, a grafficiarze, nasi żałośni „dzicy", z zachwytem odkrywają, że ich ekspresyjna frustracja zostaje podniesiona do rangi sztuki. Udzielają wywiadów, załapują się na stypendia. Wszyscy dostali pierdolca: nikt nie chce wyjść z wprawy, nikt nie chce zagubić swojej szlachetnej nienawiści i pasji z czasów stanu wojennego, więc gdy pada komuna, jedni idą do obozu postępu, a drudzy do konserwy. I dalej – napierdzielać się wzajemnie. Bardzo wielu wierzy, że tak właśnie trzeba. Ich ideowości nie łagodzą jeszcze łupy, które w zależności od wyników kolejnych wyborów mogą dzielić między siebie, jak wilczki, które oddalają się nieco od stada i ogryzają kość.

Pewnie tak musi być. Czyż nie o tym opowiadał na pielgrzymkach do Częstochowy nasz wielki jak góra, profetyczny przewodnik, ojciec Hubert? „Wyciszamy się, wyciszamy... Bardzo proszę, wyciszamy się...", mówi głębokim głosem potężny – ma chyba ze dwa metry! – kapłan, a jego słowa lekko charczą w kołyszących się pomarańczowych głośnikach owiniętych przezroczystą folią, które niosą na stelażach aktywiści w ciężkich buciorach i getrach. Zwieszam głowę, przygarbiam się i wbijam wzrok w mokry asfalt pod nogami. Czuję fantastyczne zmęczenie w biodrach, a i piszczele bolą jak trzeba. Piąty dzień pielgrzymki. Drugi rok stanu wojennego. A ojciec Hubert spokojnym, pewnym głosem, jakby doskonale widział przyszłość, snuje swoje rozważania. „Tak jak Izraelici musieli czekać na pustyni czterdzieści lat, aby wymarło pokolenie pamiętające niewolę egipską, tak być może i nasze pokolenie musi przeminąć, nim nadejdzie prawdziwie wolna Polska".

Mam komunę w paznokciach, we włosach, w spojrzeniu, mają ją wszyscy. I rzeczywiście: po runięciu muru dominującą formą literacką stają się liryczne wyliczanki - nazw ulic, cen biletów i tras autobusowych, tanich win, śmiesznych lokali. Potoki zaklęć, cytaty z bzdurnych piosenek, etykiety od dżemu, radość, że tyle się zapamiętało, że tyle śmiecia nosi się w sobie.

Siedzę ze Sławkiem w „Konsulu", oczywiście w ogródku, bo wnętrza wszystkich warszawskich knajp śmierdzą niemożliwie odświeżaczami do kibla. Kelnerka przynosi nam bułgarskie brandy, colę, palimy marlboro. Tak! Wszyscy jeszcze palimy!

Oczywiście, że nie tak sobie wyobrażałem tego szermierza prawdy, rycerza niezłomności, nowojorczyka. Jest mały i drobny, ubrany w granatowy, dopasowany garnitur z przykrótkimi na amerykańską modłę rękawami i nogawkami. Ma zaczesane na bok blond włoski i niewinne błękitne oczy niczym jakiś cherubinek. Nie wygląda na faceta, który posługuje się najcięższą polemiczną artylerią. Na policzku myszka wielkości pięciozłotówki, która nie pozwala mi skupić całej uwagi na rozmowie, bo wciąż przypominam sobie szwagierę – Martę, która ma podobne znamię na obojczyku. Sławek nieco się jąka, spuszcza wzrok, głos ma bardzo wysoki, prawie się czerwieni w mojej obecności. Ta nieśmiałość jawnie kontrastuje z walką, jaką podjął na łamach „Tygodnika Literackiego", z boksem, jaki uprawia w swojej publicystyce.

Obaj pewnie wyglądamy dość komicznie: chudzi, nieśmiali, zalęknieni, klasyczne inteligenciki niedożywione, które chcą postawić tamę zalewowi zła. Cnotliwe harcerzyki. Colą zapijający winiak „Słanczew brjag". Z papierosami w chudych palcach. Sławek podobnie jak ja trzyma marlboro delikatnie, z tym że pali chyba jeszcze mniej wprawnie ode mnie, ślini niepotrzebnie filtr i dużo dymu wypuszcza przed zaciągnięciem się. Ale jestem nim zachwycony. Śmieję się, pożeram go wzrokiem, dopowiadam puenty.

Nie rozmawiam z nim jednak szczerze. Nie wypłakuję mu się z nadziei, które z nim wiążę, nie opowiadam o swoich religijnych wzlotach. Zaczynamy od zestawu obowiązkowego: naśmiewamy się razem z zadyszanego profesora, który dmie w filosemickie organy i liczy na kasę, szydzimy z naszego rówieśnika – pisarza z rzadką bródką, który z kolei pisze o Wrocławiu, mając nadzieję na niemieckie pieniądze, wreszcie zastanawiamy się nad fenomenem perwersyjnej pani profesor, dla której cała sztuka ma polegać na bezustannych przekroczeniach i nadużyciach. Tutaj ja jako warszawiak mam ciekawe anegdotki z życia prywatnego tej dziwacznej humanistki, więc sprzedaję je, kątem oka kontrolując reakcje Sławka, żeby przypadkiem nie przekroczyć jakiejś granicy szczerości. Nie mogę przecież przypaść mu do piersi, zwierzyć się ze wszystkich moich obsesji i marzeń. Tak silnie pragnę, by ktoś całe to liberalne wahanie wyrwał z mojego świata. By go uprościł. Uporządkował. A ja wtedy mógłbym wreszcie stać się sobą. Zająć się tym, do czego zostałem stworzony.

Jestem zdradzonym sowizdrzałem. Tak, żeby to stwierdzić, wystarczy na mnie popatrzeć. Wystarczy zerknąć na mój spiczasty nos, na ciemne, iskrzące się oczy. Naprawdę w karnawałowym entourage'u czułbym się najlepiej. Byłbym sobą. Ale jaki sens ma rola sowizdrzała w świecie, gdzie nikt już na serio nie wierzy w jakiekolwiek normy? Czym byłoby dziś podważanie wielowiekowej tradycji, jeśli nie skrzekiem aprobaty dla spoconych, śmierdzących wódką ciał, rozchybotanych instynktów i zmętniałych spojrzeń? Więc zdradzony przez otoczenie nie siędę przy dębowym blacie w nisko sklepionej tawernie, gdzie beki z winem i kurtyzany. A kurtyzany przecież kochają sowizdrzałów.

Tak! Taki chciałem być i do tego zostałem stworzony! Nie do wielkiego moralizowania, mędrkowania i nawracania bliźnich, ale właśnie do wskazywania tej drobnej szczeliny, do robienia tej wywrotowej małej korekty, pokazującej, że życie jest bogatsze od srogich katechizmów. Chciałem śmiać się szyderczym chichotem, demaskować zakłamanie wielkich tego świata, z moim wielkim, spiczastym nosem bawić równych mi w nieszczęściu. Lecz świat mnie zdradził. A dzisiejsze wcielenia błaznów wywodzących się spośród moich rówieśników zwyczajnie przygnębiały.

Tak! Jestem ukrytym głęboko, zdradzonym sowizdrzałem. Za tę prawdę, za tę szczelinę chciałbym walczyć, to jest mój prawdziwy żywioł i świat. Świat, który z łatwością odtwarzałem po paru kieliszkach czegoś mocniejszego.

Leżę – ja, prorok karnawału, pobity przez miejscowych hipokrytów, a kurtyzany – skoro tylko mrok zacznie zapadać, przeminie skwar dnia i cykady coraz głośniej zwiastować będą ciepłą noc – ostrożnie podchodzą do wtulonego w podróżną sakwę, zbolałego (krew miesza się z kurzem, choć na razie najbardziej doskwierają bolesne otarcia skóry) i płaczącego, tak, płaczącego śmieszka, i podają bukłak z wodą, którą chciwie łykam, a krople ściekają na fikuśny, pełen łat kubrak. Potem, kiedy księżyc przeświecając zza dębów wzywać będzie lunatyków i samobójców, odkrzykują coś niecierpliwym klientom tłukącym do solidnych na szczęście drzwi i ręka w bransoletach z fałszywymi turkusami, pięknie odcinającymi się od opalonej skóry, pewnie okala pasem płótna skrwawione i sine od razów ramię. W oczach uciekających w głąb obolałej czaszki kolor krwi zlewa się z barwą pomalowanych paznokci. Sowizdrzał znów zapada w ciemność.

A gdy nad ranem pieją już koguty i świeca nie daje cienia, zmęczone kurtyzany, nieco zaskoczone, znajdują w nogach łoża śpiącego sowizdrzała, o którym zupełnie przecież zapomniały. Każą więc oberżyście podać pieczeń. Zaspany wąsacz nie protestuje: moneta ujęta pulchnymi palcami uśmiecha się jak zwykle - i wino, dużo wina, bo warto na dobranoc posłuchać krotochwilnych, a nieraz i poważnych opowieści poturbowanego, ale oto już przeciągającego się i rozglądającego ze zdziwieniem i rozbawieniem cudaka. I gdy tylko budzącym się ciałem poczuje poobijane kości, skrzywi się nagle, ale zaraz uśmiechnie i wciągając nosem zapach dochodzący z sąsiedniej izby, słabym głosem zapyta: „A wino? Na dobre trawienie konieczne jest wino". W odpowiedzi słyszy schrypły śmiech, jaki czasem wyrywa się z gardła kurtyzany wśród miłosnych igraszek i budzi zdziwienie klienta zapamiętałego w ponurym zaspokajaniu żądzy. Bo śmiech, ten chrapliwy śmiech - dowód swobody mieszkającej w tym gibkim, ale już z wiekiem nieco ociężałym ciele, obezwładnia ciemność i nieproszony pokazuje, że istnieją piękne światy i prawdziwa przyjaźń.

Kurtyzana śmieje się i krzyczy w stronę jadalnego: „Słyszałyście, ledwo nieborak oprzytomniał, a już chce wina!"

No dobrze - myślę sobie - ale jak dostosowałbym się do tego współżycia z naturą? Na drogach kurz, pali słońce, we włosach i za kołnierzem słoma. Jak bym to znosił? Ja, dla którego położyć się latem w trawie to męka, bo zaraz obłażą mnie jakieś robaki, ja, który gdy słonko poświeci trochę dłużej, wracam cały w czerwonych plamach, ja z ciągłym bólem głowy, niewyspany, wymięty, pryszczaty. I kto by uwierzył wesołym opowieściom, gdyby spostrzegł moje podkrążone oczy i słabiutki zarost?

Może jednak zahartowałoby się we mnie wszystko, bo poobijany na gościńcach, wciąż narażony na kopniaki, gdy zgromadzonej gawiedzi obwieszczałbym dobrą karnawałową nowinę, musiałbym stwardnieć. Przecież ludzie – szczególnie po winie czy okowicie – bywają różni i jeden z nich, z podgolonym karkiem, przypomniałby sobie kazanie księdza proboszcza, który w mojej opowieści akurat odjeżdża, trzęsąc swym pokaźnym kałdunem, na grzbiecie różowego świniaka z wodnymi oczkami. I oto słuchacz moich bajań podchodzi na chwiejnych nogach i zamierza się na mnie zydlem, który krzepko chwycił w twardą od pracy dłoń. Trzeba być czujnym, bo i sowizdrzał nie jest niezniszczalny i zawszeć kątem oka warto zerknąć, czy aby tam z tyłu albo z boku na okopconej ścianie w świetle łuczywa nie drży złowieszczy cień. Trzeba być zawsze gotowym uskoczyć z przeraźliwym piskiem, jak nadepnięty psiak, zaszczekać, by wszystko w żart obrócić, gdy przeciwnik obezwładniony przez kompanów, pojękując, zasypia na blacie stołu. Nie można się obżerać, a i pić trzeba z umiarem. Komu potrzebny pijany sowizdrzał, co komu po palcach, które nie mogą już trącić strun? Sowizdrzał istnieje tylko wtedy, gdy bawi. Śmiech jest warunkiem jego przetrwania. Co komu po mamrotaniu i żalach wesołka? Nie dziwią i kuksańce, i natarczywość, gdy jakaś nalana twarz, wykrzywiona złością, domaga się pieśni, roznosząc wokół kwaśny odór, a potem wloką cię gdzieś ze śmiechem na pole, by zlanego zimną wodą postraszyć utopieniem w studni albo krzyczeć: „Na drzewo, na drzewo z nim! Nogami do góry! Ale z jajami na wierzchu!" I trzeba dowcipnie błagać o litość...

Byłem zdradzonym sowizdrzałem i naprawdę zależało mi na tym, żeby to Sławek wykrzyczał i przywrócił świat do harmonii. Zachwycałem się niesamowitymi filipikami przeciw lewackim troglodytom, których zestawiał z przygłupimi kolesiami obżerającymi się popcornem i pstrykającymi wciąż pilotami od telewizora. Drżałem ze wzruszenia, gdy rzucał swoim polemistom, żeby nie trywializowali sprawy katolickiej moralności, sprowadzając ją do sporu, co można zakładać na siurka. Czułem podziw, gdy w świetnym rytmie rzucał, że Kościołowi chodzi przecież o wizję człowieczeństwa, bo i za czasów apostołów spór o obrzezanie nie był kłótnią o rankę na fiucie, tylko powszechność Kościoła. I o tym zarówno obrzezani, jak i nieobrzezani dobrze wiedzą! Czytałem to prawie ze łzami w oczach. Mieliśmy swojego publicystę! Przeżywałem dreszcz rozkoszy, gdy stawiał na piedestale staruszkę modlącą się na nabożeństwie Drogi krzyżowej, a strącał w otchłanie pogardy rzeczywiście przygłupiego, ale za to bardzo zdolnego poetę młodego pokolenia obwieszonego miedzianymi niuejdżowymi talizmanami. Przyznawałem rację, gdy odgrażał się, że będzie liczył żony intelektualistom pouczającym go, jak żyć. A ja? Za dużo wiedziałem o sobie i swoich ciągotach, żeby się stroić w uniform reformatora świata. Zostawiałem to innym. Może dlatego, że się bałem?

Świat był przecież pełen pokus, a ja miałem dziwną pewność, że gdybym stanął w słońcu i zaczął głosić pochwałę cnoty, zaraz zostałbym strącony w otchłanie rozpusty. Nie pomogłyby anioły stróże ściągane na moją głowę przez Małgosię, nie cofnąłbym się, zatrzasnął przed nimi drzwi i uległ pokusie. Było dla mnie oczywiste, że pakt o małe nic złego obejmuje właśnie niewychylanie się, spokojne bydlenie i nieskładanie zbyt mocnych deklaracji. Patrzyłem więc na Sławka z niekłamanym zachwytem: spotkałem oto człowieka, który się nie bał takich przeciągów i przeciążeń, który pewnym głosem, aczkolwiek trochę za wysokim, niepotrzebnie jąkając się, mówił o wartości dekalogu. A znamię na jego policzku wciąż przypominało mi Martę i ten moment, gdy na moim własnym weselu, oszołomiony winem i swoim szczęściem, ocierałem się udami o jej uda.

Gadamy akurat o głupocie transgresyjnej koncepcji twórczości, o pragnieniu pani profesor z chrapliwym głosem, żeby swoim chorym podejściem zarazić całą humanistykę, ha! ha! sztuka zdegenerowana, śmiejemy się, bo asenizacyjna metaforyka nagle stawia nas na pozycjach faszystowskich.

– Bingo! – mówi Sławek. – I oto sami się zdemaskowaliśmy. Jesteśmy po prostu faszystami.

– No nie, nie do końca – prostuję – raczej naiwnymi Arturami z *Tanga*.

Chichramy po sztubacku. Sławek wytrwale łapie do butelki po coli ospałe osy. Wchodzą otumanione do szyjki, a długi palec Sławka spycha je do środka. Dziwnie to wygląda, sam fascynowałem się kiedyś ekologicznymi tekstami w „ga-Gazecie" i to męczenie os niespecjalnie mi tu pasuje, ale szybko odpływam w jakieś skojarzenia z gniazdem os u Botticellego na obrazie będącym poszlaką jego homoseksualizmu. Dryfuję do symboliki pszczół z Bazyliki Świętego Piotra i zagaduję Sławka o jego wrażenia z pobytu we Włoszech. Erudycyjna pętla, jaką wykonuję – od os uwięzionych w butelce do herbu rodu Barberinich, robi nam obu dobrze. Czujemy się Europejczykami, świetnie przygotowanymi na podbój świata.

– Sławku, ale w tym tekście o zabiciu Jezusa to trochę przegiąłeś – rzucam, wciąż się jeszcze uśmiechając.

– Oj, wcale nie twierdziłem, że trzeba byłoby zabić Jezusa, ale że było to naturalne w świecie, gdzie co dwa tygodnie pojawiał się jakiś mesjasz, i że każdy konserwatysta by to zrozumiał jako wypadek przy pracy.

Przekomarzamy się tak, ciesząc się własną inteligencją, ale nagle zupełnie wbrew sobie wjeżdżam na poważne tony. I gdy rozmowa zaczyna krążyć wokół Jezusa, rzucam, że dla mnie istnieje fundamentalna, nieprzekraczalna granica między konserwatywną akceptacją wiary a wiarą kerygmatyczną.

– Wiesz, Sławek, ty to byś zapisał pewnie tak: pewien prominent z rzymskim paszportem, który zaliczył glebę, gdy mu się objawił Żyd z rodu Dawida, powiedział, że jeśli Chrystus nie zmartwychwstał, to głupstwem jest nasza wiara. – Śmiejemy się, a ja ciągnę: – I mnie marzy się takie życie. Albo – albo. Bez możliwości odwołania się do jakiejś kalkulacji, że tak czy owak, wiara się opłaca. Nie! To musi być zakład, w którym, jeśli nie ma Jezusa, to przegrywa się totalnie. – Rozgrzewam się i już słyszę w swoim głosie ten okropny ton à la książę Myszkin: wzruszenia własną szlachetnością i delikatnością uczuć.

Ale Sławkowi wyraźnie to się podoba. Odrywa wzrok od os, które w butelce po coli zajęły się spokojnie spijaniem brązowego słodkiego płynu, i patrzy prosto na mnie. A ja, zły na siebie za ten akt strzelisty, zapalam papierosa i zaciągam się dobrym jak chleb dymem z marlboro. Część wypuszczam przez nos, a resztę wstrzymuję w płucach, radując się niedotlenieniem... Cały Trakt Królewski, od placu Na Rozdrożu albo jeszcze niżej aż do Zamku, żyje dziś niepodległością – wyborami prezydenckimi, powstałą dopiero co prawicową partią. A my tu o Jezusie.

– Czyli Maria ponad wszystko, ponad Martą? – stara się spuentować Sławek.

– Wiesz, nie wiadomo, która byłaby lepsza na żonę – staram się obrócić wszystko w żart.

– Że wolałbyś pracowitą Martę? – pyta.

– No chyba tak. Żeby troszczyła się i zabiegała o wiele.

– Nie zapominaj, że Maria bywa utożsamiana w tradycji z Marią Magdaleną, więc w sprawach łóżkowych jest na pewno lepsza.

Już, już trzeba kończyć, ale ciągnę kretyńsko:

– Wiesz, Maria to kobieta źdźiebko przechodzona, no i ktoś musi prowadzić dom, bo uprawianie seksu w jakimś bajzlowatym mieszkanku, wśród niedomytych talerzy i resztek jedzenia, też by się szybko znudziło.

Rechoczemy się i naraz obaj milkniemy. Przeholowaliśmy.

Chciałem być zimny albo gorący, chciałem zapisać się do tych chłopaków, ale cały czas jakieś wewnętrzne wahanie nie pozwalało mi uczynić tego kroku. Widziałem całą swoją ewentualną śmieszność w takich mocnych rolach. Ale widziałem też, jak ludzie, którzy angażowali się na całego w różne przedsięwzięcia, wygrywali.

– Sławku, a ty, tak jak Rafał, masz hipisowską przeszłość?

Sławek uśmiecha się.

– Tak, byłem w ruchu.

– W ruchu?

– To się wtedy tak nazywało. Najpierw to w ogóle bawiłem się w Indian, jeździłem na zloty...

– Zaraz, w Indian, a to co? – przerywam skołowany.

– Indianie – było w Polsce takie zjawisko. Ludzie się przebierali, budowali wigwamy, pykali fajeczki, to było takie ekologiczno-kontrkulturowe.

– Wierzyliście, że jesteście Indianami?!

– Trochę tak. Ale wyższym stopniem wtajemniczenia byli hipisi. Indianie się dość szybko skończyli. A w ruchu byłem przez kilka lat. I to już zupełna jazda. Wąchanie kleju, trawa, grzybki, pełne odloty. Jeździło się po Polsce. Byłem hipisem totalnym, jak z songu *rzuciłem chatę, poszłem w świat*. W Zakopcu w cocktail-barze wyjadałem resztki z talerzy. To była pełna kontestacja... – rozmarza się Sławek, choć w jego głosie słychać też ironię.

– Jak to: resztki z talerzy?

– Normalnie, tam się stawiało brudne talerze na takich wózkach, podchodziłeś więc i wyjadałeś, co zostało. Pamiętam – dorzuca ze śmiechem – były na przykład takie precelki w lodach ambrozja. Nie wszystkim smakowały, więc tego dużo zjadłem.

– Aha, no i dużo różnych paskudnych owoców – dodaję.

Przecież ja wtedy mogłem tam siedzieć! Właśnie w Zakopanem, na Krupówkach, dokąd jeździliśmy z rodzicami. Inteligencki dzieciaczek, zamówił sobie lody czarno-białe, takie dorosłe, bo podlane ajerkoniakiem, siedzi z mamą i tatą, a tam obok jakieś wstrętne długowłose hipisisko poluje na resztki. Patrzę na Sławka, na jego chudą, dziecięcą prawie twarz i myślę: może to wszystko przez moje prymusostwo, że za dużo wiedziałem, może wtedy trzeba było się stoczyć i zradykalizować. Ale przecież wiem, że byłbym w tym śmieszny.

– I co, nosiłeś długie piórska?

– Tak – odpowiada z uśmiechem Sławek – długie pióra to nosiłem jeszcze w stanie wojennym.

– A rzeczywiście, nawet pisałeś o tym! – mówię z zachwytem i przypominam sobie jego artykuł o spotkaniu ze starym działaczem komunistycznym, który zupełnie idiotycznie czepiał się jego długich włosów.

Śmieję się, przepijamy bułgarską brandy, kiwam na kelnerkę po następne. Jest świetnie. Pamiętam doskonale ten artykuł Sławka i wyobrażam sobie jego sprzed lat: długowłosego kochanka z Liverpoolu jak z piosenki braci Osmond. Sławek domagał się wyrzucenia grobów komuchów z Alei Zasłużonych na Powązkach i ostatecznego odcięcia od komunistycznej tradycji.

Szedł jak burza. Nie zdziwiło mnie, gdy parę miesięcy później dowiedziałem się, że z jego artykułów arcybiskup robi wyciągi dla papieża przed kolejną pielgrzymką do Polski. Mistrzowskie znokautowanie Gombrowicza i szkice norwidowskie były naprawdę rewelacją! Gdy złożył je w książkę i odbył triumfalne tournée po kraju, małe salki nie mieściły już rozgorączkowanych studentów, a w szczególności studentek, więc trzeba było wynajmować aule. Sławek czuł się w tym nowym wcieleniu jak ryba w wodzie. Ale też nie byle jakie autorytety zajęły się jego promowaniem. Bo dla wszystkich prawicowców był objawieniem.

Zwłaszcza dla nas młodych, mających kłopoty z hormonami.

Przecież nagle my – frakcja chudych świętoszków, krościatych prawiczków, wstydliwych antykondomistów – dostawaliśmy to, o co modliliśmy się przez lata: faceta z doskonałą formacją intelektualną, który pokazywał, że nie jesteśmy zacofańcami, nie, my właśnie przezwyciężyliśmy już postmodernizm, my mamy rację: postpostmoderniści. Dziewczyny, weteranki adoracji najświętszego sakramentu bez odrobiny makijażu, liderki pielgrzymek z grubymi łydami, miłośniczki nocnych czuwań z zapuchniętymi oczyma, oazowiczki w za dużych swetrach i animatorki ruchów odnowy w rogowych okularach, nagle dostawały książkę marzeń, dostawały potwierdzenie, że lata wyrzeczeń nie były owocem jakiegoś feleru ich kobiecości, ale wynikiem zdrowego rozsądku. Rozsądku, który kazał odrzucić nowomodne bajania kwestionujące dekalog i dwadzieścia wieków tradycji chrześcijańskiej, rozsądku, który kazał zrozumieć, że nowym wcieleniem komucha jest postmodernista.

Byłem zakochany w Sławku i dostawszy niedawno wstępne „tak” z telewizji, bo jego pozycja na rynku intelektualnym została przecież potwierdzona wieloma nagrodami za najlepszy dziennikarski debiut, najlepszą książkę historyczno-literacką, za nonkonformizm – zacząłem gromadzić materiały do filmu o nim.

Z Anetą, żoną Sławka, umówiłem się na nagranie przez moją kierowniczkę produkcji. Wyraziła zgodę, choć byłem zdziwiony, że zażądała pieniędzy za wypowiedź na temat swojego męża, ale po pierwsze, byłem w stanie jej zapłacić, po wtóre, myślałem raczej, że to żart odpowiadający jej kostycznemu poczuciu humoru.

Nie lubiłem specjalnie Anety. Jawiła mi się nie tyle jako konkurentka, chociaż może coś w tym było, ale przede wszystkim jako jakiś zupełnie niezrozumiały dodatek, absolutnie niedorównujący poziomem mężowi, ba, istota, której cyniczne wrzutki nie pasowały do obrazu stabilnego domu, jaki wychwalał w swoich tekstach Sławek.

Nie byłem też specjalnie zafascynowany jej urodą – owszem, przy pierwszym spotkaniu, gdy w „Jamce" ujrzałem ją w skórzanych czerwonych spodniach, zrobiła na mnie jakie takie wrażenie, ale potem, przy następnych spotkaniach, łapałem się na tym, że absolutnie nie jest w moim typie.

styczeń 1999

Drzwi zatrzaskują się z hukiem. Obtupujemy buty ze śniegu na klatce śmierdzącej kotami.

Moja Małgosia nawet nieźle wygląda w kozakach, które zazwyczaj niemiłosiernie wykrzywiają jej nogi. A może po prostu już trochę wypiłem? Tak, chyba tak, bo przecież zaraz potem, po pierwszym kielichu wina, mam świetny humor i zbyt głośno wypowiadam swoje kwestie.

Gospodyni wystawnego, wielodaniowego obiadu to pomarszczona, malutka wdowa po pisarzu, o którym zrobiłem kiedyś film. Jest starsza niż wszyscy goście razem wzięci, no nie, może trochę przesadzam, ale biesiadników zaprosiła sobie bardzo, bardzo młodziutkich: są Sławkowie - na początku bardzo sztywni, ale po paru kolejkach nawet nadekspresyjni, eksplodujący niemal napięciami rodzinnymi, więc od czasu do czasu, głównie za sprawą Anety, robi się dziwnie niemiło. Jest lekko trądzikowaty katolicki poeta Paweł Menicki, tak zwany „młody zdolny", którego wiersze charakteryzują się tym, że trzeba je czytać ze słownikiem wyrazów obcych. No i my: Małgosia i ja.

Ku rozczarowaniu wdowy, która chciała zrobić coś w rodzaju intelektualno-artystycznej debaty, najgłośniej z całego towarzystwa zachowuje się najmniej do tego uprawniony, czyli ja - jakiś tam producent telewizyjny i dzieciorób, ale cóż mogę na to poradzić, że mam dziś wspaniałą absorbcję alkoholu, a reszta rozkręca się dość wolno? Poczekaj, wdowo droga, poczekaj, lepiej, żebym ja gadał, niż żeby zapadała cisza, zaraz twoje gwiazdy się rozkręcą i będzie całkiem miło, obiecuję ci to. Potem zamilknę, słowo.

Oczywiście tematem numer jeden jest papieski sprzeciw wobec kary śmierci. Wreszcie się bowiem dokonało. Papież miękł, miękł, jeszcze w pierwszym wydaniu katechizmu mówił, że kara śmierci jest w porzo, no oczywiście, jeśli dałoby się jej uniknąć, byłoby miło, ale teraz wyraźnie wypowiedział swoje „nie". Że to grzech, panie, zabijać i nie ma zgody na czapę.

– I co?! – śmieję się kpiarsko – cała Biblia na nic?

Anetka też jest w nastroju mocno szyderczym, nie wiem, co tam zachodzi między Sławkiem a nią, ale wyraźnie bawi ją fakt, że ten hołubiony przez Sławusia papa Wojtyła wyciął mu taki numer.

– No właśnie – mówi Aneta z ustami pełnymi sałatki – papież wzruszył się losem biednej teksańskiej zbrodniarki i nagle zapomniał o wiekach tradycji. – Przełyka jarzyny, pociąga haust wina i wodzi po nas triumfalnym wzrokiem.

– I zapomniał o rodzinie zamordowanego przez naszą słodką rozmodloną więźniarkę – dorzuca Małgosia. Czyżby dzisiaj miał powstać front kobiet polskich?

– Pawle – próbuję wciągnąć do rozmowy naszego poetę, ubranego w obcisłą marynarkę à la mundurek rosyjskiego gimnazjalisty z XIX wieku – ale to chyba rzeczywiście jakiś obciach z tą karą śmierci, nieprawdaż?

– Nie znam dokładnie treści papieskiego wystąpienia... – zawiesza głos blady jak papier Paweł.

– No – ciągnę bezlitośnie – papa stwierdził, że kara śmierci tak ogólnie jest be.

Paweł milczy. E[illegible]tki.

– Pyszne wino [illegible]wierdzam i patrzę na gospodynię, myśląc sobie: no i co ja ci poradzę, że ten nasz poeta-nadwrażliwiec taki mruk. – Co to za winko?

Wdowa ożywia się:

– Melnik. Ale nie byle jaki. Bo to niby Sophia i wygląda jak każda inna, ale proszę, ważne jest, z jakiego regionu. Tu – podnosi flaszę – musi być napisane Sławianczi. – Wdowa z dumą prezentuje butelkę. I chichocze. – Poluję na to po całej Warszawie, zupełnie jak za peerelu. Przynoszę po trzy, cztery flaszki.

– No to Bułgarzy przysłużyli się światu nie tylko Ali Agcą – śmieje się Anetka. Wygląda dziś całkiem nieźle. Skróciła sobie włosy, rozjaśniła i ufryzowała trochę na lata dwudzieste: mocno potraktowane żelem, w falach, jak muldy na stoku narciarskim, schodzą grzywką nad błękitne oczy. Dała bardzo jasny puder. Wygląda trochę jak porcelanowa lalka. Ale to chyba niezły koncept.

– To chyba Turcy – rzuca poeta.

– Turcy zrodzili, Bułgarzy wyszkolili. Mnie chodzi o bułgarski ślad – mówi Aneta i w jej głosie słychać już niezłe alkoholowe podcięcie.

– Tak czy tak, zdrowie gospodyni – rzucam, a drobna starowinka niespodziewanie zakłopotana spuszcza wzrok.

– Dziękuję. Zdrowie gości – szerokim gestem wznosi kielich, ale cały czas mam wrażenie, że żałuje, iż odgrywamy nie takie role, jakie nam przypisała. Czakaj, czakaj – jak mówią Bułgarzy nasi słodcy, zaraz twoje geniusze rozkwitną.

– Sławku, i co teraz zrobisz? – zagaduję i widzę, że Anetka uśmiecha się szyderczo. Ładnie jej z tym grymasem. O wiem: wygląda jak Tamara Łempicka z autoportretu w bugattim. – Jak tu działać, skoro ma się sentymentalnego papieża? Jakaś więźniarka się nawróciła i nagle masz babo placek...

Widzę, jak palce Sławka, długie muzyczne palce, zaciskają się na serwecie. Dopiero teraz zdaję sobie sprawę, a przecież oglądałem je tyle razy, że są trochę szponiaste – może to oznaka jego zaciętości, jakiegoś fanatyzmu, tej siły, która popychała go ku absurdalnym Indianom, hipisom, a teraz wyrzuciła tak daleko na prawo, że jest teraz plus catholique que le pape.

– Rzeczywiście – mówi wolno i spokojnie Sławek, a Aneta uśmiecha się ironicznie. No nie, ja bym nie wytrzymał. Nie można tak odcinać się od męża! – w nauczaniu Watykanu doszły do głosu niepokojące trendy. Trzeba stwierdzić – cedzi słowa – że ten ton humanitaryzmu, jaki brzmi ostatnio w wypowiedziach papieża, jest sprzeczny z tradycją i w zasadzie heretycki.

– A więc papież-heretyk?! – z entuzjazmem woła Anetka.

– Paweł ma rację – kontynuuje niezrażony zachowaniem Anetki Sławek. – Nie wiadomo, jaki jest status wypowiedzi papieża. Można jednak stwierdzić otwarcie: papież jest w błędzie – mówi to ze smutkiem, choć jednocześnie z jakąś zaciętością.

– No tak – rzucam – ale mam nadzieję, że ten ohydny humanitaryzm i wstrzymanie wyroków śmierci nie zepsuje nam przyjemności smakowania tych darów Bożych, jakimi nas raczy nasza wspaniała gospodyni! – i wznoszę kielich.

– W Teksasie wyrok wykonano – prostuje nieśmiały poeta.

– No to świetnie – włącza się Aneta. Wyraźnie nie przepada za Pawłem.

– Znakomita sałatka – podrzuca pojednawczo Gosia.

Skupiamy się na talerzach, ale temat powraca. No dobra, ja powracam do tematu, bo to naprawdę mnie rusza. Wiele godzin poświęciłem kiedyś, żeby przekonać samego siebie do słuszności kary śmierci. Przewertowałem mnóstwo książek, odbyłem wielogodzinne rozmowy. I w liceum, i w duszpasterstwie akademickim. Przecież uzasadnienie kary śmierci, ten łyk prawdziwej filozofii od świętego Tomasza z Akwinu, rozróżnienie między miętkim, sentymentalnym humanitaryzmem a dojrzałym konserwatywnym katolicyzmem było jednym z ważniejszych stopni wtajemniczenia w to, w co naprawdę warto wierzyć. Definicje, dystynkcje i wreszcie osiągnięcie po wielu samotnych spacerach stopnia dogmatycznej pewności – było czymś wielkim w przyjmowaniu dojrzałego katolicyzmu. A teraz nagle szask-prask, papież się wzruszył i klops. Czy tak będzie ze wszystkim? Rozczulam się nad samym sobą, jakbym co najmniej przez całe życie był katem i nagle się dowiedział, że zostaję bez roboty.

– Nie chciałbym psuć smaku tej pysznej szyneczki, ale rzeczywiście chyba trzeba będzie zmienić Ewangelię – rzucam.

Oj, winko wali nam w głowy jak trzeba, teraz zupełnie nie muszę się już ograniczać z dowcipami, bo wyraźnie wdowa też wrzuciła piąty bieg i co chwila prosi mnie albo poetę o otwarcie kolejnej flaszki z czerwonym eliksirem szczęścia.

– Przecież opowieść o dobrym łotrze zupełnie bierze w łeb – gadam, patrzę na Pawła i Sławka, jakbym wymyślał coś nowego, i rzeczywiście mam takie wrażenie. Nie ma jak dobre winko. – No bo łotr nie może teraz mówić na krzyżu, że słusznie cierpi, tylko powinien wygłosić długi monolog, że cała ta kara śmierci jest do dupy... Sorry za dupę – dorzucam, ale widzę, że poza poetą wszyscy się śmieją. – Sławku, jak to jest z tym dobrym łotrem? Mam rację czy nie?

– Oczywiście. To znany przykład – Sławek podważa oryginalność mojego odkrycia. A już myślałem, że połączenie mojego geniuszu z bułgarskim winem owocuje teologicznym nowatorstwem. Anetka próbuje włączyć się do dowcipkowania, nucąc *Always look at the bright side of life*, ale milknie.

– Ano tak! – przypominam sobie. – Przecież ty, Sławku, nawet uzasadniałeś kiedyś słuszność ukrzyżowania Pana Jezusa! – zanoszę się śmiechem, Sławek zaprzecza, a ja, czując, że wino trzaska mnie już za mocno, milknę raptownie i wsłuchuję się w swoje wnętrze.

Paweł prostuje się, niczym indor wyciąga szyję zbyt silnie obciskaną kołnierzykiem, i podsumowuje:

– Rzeczywiście. Jest kłopot. Bo katolicyzm musi być stabilny. Dawniej człowiek, który byłby zesłany na Syberię albo żył na bezludnej wyspie odcięty od jakiejkolwiek łączności z Watykanem czy chociażby z księdzem proboszczem, wiedziałby, jakie jest nauczanie Kościoła, bo wystarczałby mu katechizm. Przeczytany w dzieciństwie katechizm – Paweł mówi wolno, jakimś takim mentorskim tonem, za wolno jak dla mnie. – A teraz... Jeśli kolejne wydania katechizmu drastycznie się różnią, to przecież...

Nie wytrzymuję i wcinam się:

– Ale na bezludnej wyspie to jakież dylematy? – pauzuję, nabieram powietrza. – A, wiem, czy Robinson może już to robić z Piętaszkiem, czy musi czekać na następne wydanie katechizmu! – wykrzykuję w głupawej euforii.

Małgosia, znając doskonale moje ekscesy, kładzie mi rękę na udzie. Udaję, że nie rozumiem tego ostrzegawczego znaku, patrzę na nią wlanym wzrokiem i kiwam głową z porozumiewawczym lubieżnym uśmiechem, przyklepując jej dłoń swoją.

– Ktoś już ma dosyć – szepcze Gosia.

– No co ty! – rzucam niby to oburzony, ale trochę stopuję.

Rozmowa jakoś zamiera. Tym bardziej że wdowa, nasza kochana drobniutka pomarszczona wdowa, wnosi główne danie. Zapach dziczyzny jest oszałamiający.

– Mięcho, mięcho, jedzmy mięcho, póki nam nie zabronią – wołam, po czym wycofuję się. – Sorry, mi się dziś wszystko kojarzy z jednym...

Wdowa jest niesamowita, bo też zmarły przed paroma laty pisarz był kimś nadzwyczajnym. I związanym ściśle z dziejami naszego papieża. Chyba najgłębiej ze wszystkich krajowych literatów przeżył powołanie równolatka na Stolicę Piotrową. Numer przecież był nie z tej ziemi. Oni kombinowali sobie, pisali wiersze ku czci Stalina, załatwiali swoje drobne interesiki, wypierając się wiary ojców, gardząc narodem, tym ciemnym motłochem, a tymczasem gdzieś jakiś Wojtyła wiódł równoległy żywot. Chodził tymi samymi ulicami, oddychał tym samym zanieczyszczonym przez Nową Hutę powietrzem, ba, studiował na tej samej uczelni – najstarszym polskim uniwersytecie, i nagle okazało się, że wygrał. I to wygrał bezapelacyjnie. Ich małość zaistniała w pełnym świetle jego triumfu i majestatu. Bił ich na głowę nie tylko cnotą: wyśmialiby go, że prawiczek, nie zna prawdziwego życia, rozmodleniec. Nie, znokautował ich także jako intelektualista: okazało się, że zna wyśmienicie kilka języków i jest naprawdę wcieleniem wszystkiego, co najlepsze w naszej tradycji literackiej. Oto proste – jak w pysk strzelił – drogi prowadziły od Kochanowskiego, Mickiewicza, Słowackiego, Norwida ku niemu – ku Karolowi Wojtyle. Tamci przyrządzali te wszystkie smaczki, jakieś tam czarnoleskie tropy, wileńskie korzenie, kresowe magie, a on po prostu okazał się wcieleniem i spełnieniem. Sorry, ale gdybym ja był literatem-rówieśnikiem papieża, po prostu bym się chyba zapił na miejscu. Bo to nie tylko komuna dostała w dupę. Także ci wszyscy paputczicy, lyteraci, kombinatorzy.

Zdaje się, że nasza wdowa, głęboko wierząca osóbka, miała niezły wpływ na swojego rozhisteryzowanego męża i pokazała mu, wymodliła świetne miejsce. Stał się bowiem głównym komentatorem papieskiego triumfu, rozumnym, doskonale wyedukowanym ministrantem. Sługą. Nieźle musiała się nad nim natrudzić i osiągnęła to, co było optymalne: jej mąż umierał jako święty skryba. Nie jakiś tam nieszczery nawróceniec, co dawkuje sacrum do swojej twórczości, bo to modne. Wręcz przeciwnie: super gość, który ponieważ umierał na raka, bardzo wolno i świadomie, pozostawił po sobie wstrząsające świadectwo dojrzewania do pięknego człowieczeństwa. Ale co przeżył z tą cholerą, swoją żoną, to przeżył. Nieźle musiała mu dać popalić, żeby tak go odmienić.

I oto teraz siedzę sobie na naprawdę kulturalnej biesiadzie, owszem, kradnąc role przypisane prawdziwym artystom, kultowemu poecie i nie mniej kultowemu eseiście, ale trudno...

Patrzę na Małgosię, na której twarzy zadowolenie, że znaleźliśmy się nagle na tak świetnej imprezie, miesza się z lękiem o stan mojej głowy i żołądka. Chichoczę w myślach: a co by było, gdybym tak obrzygał stół? Delikatnie odbija mi się, przykładam dłoń do ust i przesyłam Gosi uspokajające, ale nieźle rozkołysane spojrzenie.

Dziczyzna jest rzeczywiście fantastyczna. Czuję to nawet ja, choć moje kubki smakowe zostały mocno zgłuszone winem. W pieczeni czuć i dziką krew, i ziarna jałowca, którymi obłożono mięso, gdy już skruszało na wietrze, i daleką nutę śliwek, a całość wieńczą wyśmienite borowiki. To jest naprawdę kapitalna, przestrzenna potrawa. Wspaniała polifonia. Winko nieźle mnie telepie, więc mimo że jestem strasznie z siebie zadowolony i ciumkam jęzorem w podniebienie, nie odważam się na wygłoszenie światłych kulinarnych uwag w pełnej wersji. Wykrzykuję tylko z entuzjazmem:

– Dzik jest super!

– Dzik jest dziki, dzik jest zły – mówi Małgosia.

Wtóruje jej Aneta:

– Dzik ma bardzo ostre kły! – Ano tak, często zapominam o tym, że przecież dzieciak Sławków jest już całkiem sporawy. Ma chyba ponad rok, więc już takimi wierszykami mogą go raczyć.

– No to pod tego dzikiego zwierza! – rzuca nagle podekscytowany Paweł i wznosi kielich. Sophia i z niego wreszcie zaczyna wydobywać biesiadnika.

A wdowa mówi:

– Spokojnie, poczekajcie, muszę sięgnąć po zapasy. – Otwiera skrzydło wielkiej, starej szafy i zagłębia się gdzieś między gałganki i obsypane naftaliną ubrania.

– Może pomóc? – pytam, a nie doczekawszy się odpowiedzi: – Hej, hej, żyje pani?

– Żyję, żyję – mówi wdowa cała czerwona na twarzy i triumfalnie wznosi kolejną flaszę bułgarskiego trunku.

– To co? Za koniec świata – rzuca Sławek.

– No właśnie, żebyśmy zdrowi byli – podchwytuje wdowa.

Wychylamy kielichy i robi się nagle jakoś cicho.

– Chyba w takich przypadkach mówi się, że anioł przeleciał – próbuję zagadać milczenie.

– I co to będzie? – pyta nagle Małgosia mnie, a może tak ogólnie zgromadzonych ekspertów, jakby chciała przedrzeć się przez zgiełk za szybkich dowcipnych wymian.

– Z czym? – pytam.

– No, czym jeszcze wzruszy się papież?

– Ale co, chodzi ci o to, czy zdąży się wzruszyć losem wielodzietnej kobiety gwałconej noc w noc przez męża-pijaka, ale katolika jak cholera, i zachodzącej w ciążę za ciążą? – pytam nagle zbyt agresywnie i czuję, że do naszych kochanych biesiadników dochodzi straszne podejrzenie, że mówię o sobie. Więc głupio dorzucam: – Nie mam na myśli siebie. Nie jestem katolikiem jak cholera.

Wszyscy wybuchamy śmiechem. Ale nagle Aneta syczy z wściekłością, o jaką bym jej nie podejrzewał:

– Póki żyje ten papież, nic się nie zmieni w sprawach seksu!

To oczywiste: wiele kobiet modli się o rychłą śmierć papy Wojtyły.

Nasz papież, podobnie jak ja, miał dwie obsesje: seks i politykę. Często buntowałem się przeciw niemu, chciałem, by dopuścił mnie do swojego stołu mikserskiego, żebym mógł pogmerać przy potencjometrach i poustawiać rzeczy według własnego uznania. Polityka: trochę ostrzej. Seks: po co tak rygorystycznie.

Marzyło mi się kiedyś przeniesienie w czasie. Wyrastałem przecież w katolickiej, inteligenckiej rodzinie, więc gdyby cofnąć kalendarz o jakieś dwadzieścia lat, mógłbym na luzie dostać się do kręgu wędrowców Karola Wojtyły, uczestników pieszych górskich eskapad czy kajakowych wypadów i pewnego wieczora zasiąść razem z nim przy ognisku.

Zapadła już noc, trochę wieje po plecach, więc poprawiam sweter na ramionach Małgosi, sam wzdrygając się od chłodu. W okularkach Wujasa, bo tak nazywamy naszego księdza, który ni stąd, ni zowąd został biskupem, odbijają się płomienie. To jeszcze nie te czasy, żeby zgrzebne brile wymienić na szkła kontaktowe. Dla mnie Wujas jest fenomenem, bo to pierwszy prawdziwie męski ksiądz, jakiego spotykam na swojej drodze. Wysportowany, krzepki, budzi zaufanie nie tylko otwartą twarzą, ale też faktem, że pod flanelową kraciastą koszulą ma mięśnie, że nie opowiada nabożnych historyjek płaczliwym głosem i nie sposób podejrzewać go o pedofilię czy zniewieścienie. Rzeczywiście poszedł na księdza nie dlatego, że musiał, bo żadna by go nie wzięła, nie uciekał w kleszą sukienkę przed demonami występnych pożądań, które by go i tak i tak dopadły, grożąc wpadką na lekcjach religii czy w konfesjonale. Nie, nasz Karol poszedł na księdza, bo chciał, bo tak postępują twardzi ludzie z charakterem.

– No co tam, Andrzejku, przeczytałeś moją *Miłość i odpowiedzialność*? – pyta Wujas i uśmiecha się, bo wie, że jako enfant terrible naszego kręgu, a przy tym jednak zdolny student, dam mu zaraz okazję do ciekawej rozmowy o jego wychuchanej habilitacji.

Chcesz, Wujasie kochany, słodkiej konwersacji, no to bardzo proszę:

– Ano, drogi dyplomowany teoretyku seksu, przeczytałem.

Któraś z dziewczyn zebranych wokół ogniska, może Tereska, prycha z oburzeniem, ale ja, zachęcany uśmiechem rozkwitającym na ogorzałej twarzy Wujasa ciągnę:

– I wiesz, Wuju drogi, co ci powiem, jako z kolei praktyk seksu? – Wiem, że lekko przeginam, zazwyczaj nasz duszpasterz woli bardziej finezyjne żarty, więc widząc, że sytuacja może się wymknąć spod kontroli, dorzucam pospiesznie: – Chwileczkę, chwileczkę, dowodem na moją praktykę, i to katolicką, jest troje naszych pięknych bachorków, które sam chrzciłeś. – Po kręgu przetacza się pomruk przyzwolenia na dalsze moje harce, w końcu troje dzieci to nie w kij dmuchał. – Otóż wydaje mi się to słuszne w teorii, ale w praktyce – niespecjalne.

– Niespecjalne, powiadasz – mówi Wujas, a płomienie odbijające się w jego okularach przydają twarzy jakiejś figlarności, która dla mnie stanowi wyraźny sygnał, by kontynuować temat.

– Tak, bo te opowieści o miłości i odpowiedzialności, o wzajemnej więzi oczywiście brzmią bardzo sensownie i w perspektywie filozoficznej na pewno wszystko to jest słuszne, ale wie Wujas, praktyka to także... - zawieszam głos, rozglądam się po twarzach kilku małżeństw zebranych wokół ogniska, no, dostrzegam oczywiście też szlachetnego i powściągliwego Pawła, któremu jako żywo grozi starokawalerstwo, i zastraszoną Zosię, która na pewno nie znajdzie męża.

Wszyscy z zaciekawieniem patrzą na mnie, ale w oczach co poniektórych widzę też drwinę i oczekiwanie, że wreszcie się potknę, przegnę i wyśmiawszy mnie, będzie można zmienić temat na jakiś bardziej bezpieczny i nabożny. Po co w ogóle takie tematy, przy których na twarzach dziewcząt pojawiają się pąsy, gdy trzeba spuścić wzrok i zachować wstrzemięźliwe milczenie. Ten Andrzej zawsze przegina. Błazen. To nie knajpa jakaś czy lupanar. Po co tracić czas, skoro można by z Wujem porozmawiać serio o życiu duchowym. Zawsze przypałęta się taki gaduła. Wylewałby z siebie te słowa, gadał i gadał bez końca. Kogo to w ogóle obchodzi? I dlaczego Wujas go jeszcze toleruje? Zaprasza na obozy, chrzci mu dzieci. Przecież to ewidentny lekkoduch i na pewno się stoczy. No, nie dałabym sobie ręki obciąć, czy już nie zdradza Małgosi. Ta też biedna męczennica, taka chudzinka, rodzi mu dziecko za dzieckiem, a on nawet nie ma porządnej pracy!

Zdaję sobie sprawę ze strasznej atmosfery, otaczającej moją osobę. Wiem, jaką niechęcią darzą mnie zawodowi wyznawcy Pana Boga, i właśnie dlatego czuję, że wśród tych wszystkich wspaniałych i naprawdę szlachetnych ludzi, siedzących wokół ogniska, na tej polanie, wśród wysokich sosen, gdy pijackie głosy niosące się po jeziorze od innych obozowisk dowodzą niesamowitej odmienności naszego zgromadzenia, czuję, że moją misją jest powiedzenie Karolowi Wojtyle, jak z tym jest naprawdę. Muszę się przedrzeć przez uładzone głosy wszystkich kochanych Baś-okularnic, tych Teres w za dużych wełnianych swetrach, tych Cezarych, odpowiedzialnych absolwentów fizyki teoretycznej poszukujących sensu życia i wgryzających się z mozołem w zawiłe elaboraty naszego Wujasa, wreszcie przez skruszone masy spowiadających się ludzi, niepewne ubogiego słownictwa, jakim się mówi księdzu o „tych" sprawach, muszę przedrzeć się przez ten zgodny, uładzony chór i powiedzieć Karolowi, jak jest naprawdę.

Wyobrażam sobie seks tych wszystkich zawodowych katoli. Jest sztywny i bez polotu, jak wszystko, co robią. Pamiętam jednego z nich, męża Joli, który po przeczytaniu książki o wychowaniu dzieci pokazywał mnie i Gosi, jak należy wymierzać klapsy: bez emocji, nie w złości, tylko w sposób chłodny i wykalkulowany. Jego ręka wykonuje szybki, stanowczy ruch i ląduje na tyłku małego Stasia. A ja w tym samym momencie widzę, że tak samo pewnie wygląda ich seks...

– Praktyka to także to, co jest dzikim niepohamowanym, zwierzęcym, kosmicznym pożądaniem. I w pewnym momencie nie ma mowy o żadnej odpowiedzialności, jest tylko lot, fantastyczny lot – słyszę szmer dezaprobaty, ale ciągnę: – i nie ma wychuchanej teoretycznej komunii dwojga dojrzałych ludzi. Nie ma interpersonalnego daru, nie, jest tylko ten lot.

– Więc – stwierdza Karol – rozumiem, że młodopolskie metafory nie są naszemu praktykowi niemiłe, ale co kryje się za tym modernistycznym buntem, jak zracjonalizować tę pochwałę zwierzęcości? Jak to okiełznać? Jak spowodować, by człowiek był istotą, a miłość spotkaniem osób? – Wujas chytrze używa słów-kluczy, które po wielokroć wbijał nam do głów w czasie odbywających się nieregularnie seminariów, spotkań przy święconce lub opłatku. I oczywiście na mocy automatyzmu odbioru uzyskuje nade mną przewagę. Basia i Teresa uśmiechają się, patrząc na mnie z triumfem i politowaniem.

– Drogi Wujasie, a może jest tak, że sfera seksu, ten cudowny dar Boga, powinna być w jakiś sposób wyłączona spod normalnych regulacji związanych z personalistyczną koncepcją człowieka? – widzę, że podnosi głowę, żeby odpowiedzieć, więc czym prędzej dorzucam, trochę się jąkając: – To znaczy do pewnego stopnia, jeśli chodzi o ramy związku dwojga ludzi, personalizm jak najbardziej obowiązuje, ale w pewnym momencie, wraz z zamknięciem drzwi sypialni, małżonkowie uświęceni świętym węzłem małżeńskim mogą rzucić się w otchłań miłości, że znów użyję, drogi Wujasie, metafory młodopolskiej, która nie powinna przecież razić zgromadzonych tu mieszkańców grodu Kraka i innych znamienitych miast Galicji.

Czuję, że to jednak nie to, że niepotrzebnie wchodzę w sztubackie zabawy erystyczne, że grając na wiele frontów, popisując się przed rówieśnikami, drażniąc ich z lekka, siedząc obok Małgoni mojej najukochańszej, mówiąc wreszcie nie do końca pochlebnie o bądź co bądź habilitacji Wujasa, trudno mi będzie wypowiedzieć, co mnie naprawdę trapi. Każdy ma jednak jakoś tam rozwiniętą miłość własną i nawet tak wspaniały, mocny facet jak Karol musi być nieco wkurzony, że podśmiewam się z rezultatu jego kilkunastomiesięcznych wysiłków...

– Drogi praktyku seksu – odzywa się Wujas – to, owszem, wszystko prawda. Zamknął to święty Augustyn w formule *Kochaj i czyń, co chcesz*. I trzeba sobie odpowiedzieć, co to znaczy „kochać". Czy znaczy to, że kochane i kochające ciało może przestać być świątynią Ducha Świętego? Trzeba zrozumieć, czym jest prawdziwa miłość. I można czynić to, co się chce. Nawet w młodopolskim stylu.

Wszyscy wybuchają śmiechem, Gosia przywiera do mnie, sygnalizując, że i tak, i tak mnie kocha, nawet takiego, pokonanego przez księdza biskupa, a ja trochę z ulgą przyjmuję to zamknięcie tematu, tak, ten sztylet mizerykordią zwany, służący do dobijania śmiertelnie ranionych, jest dobrym i naprawdę miłosiernym wynalazkiem. Czy aby nie pojawił się w związku z wyprawami krzyżowymi? To ciekawe, jakoś mi kołacze po głowie, że faktycznie był to chyba przyrząd błogosławiony przez Kościół katolicki. Ano właśnie: mizerykordia – tak, a eutanazja – nie. I już w mojej sowizdrzalskiej głowie pojawia się temat na następny wieczór, uśmiecham się więc i takim uśmiechem kończy się rozdział mojego imaginacyjnego przekomarzania się z Karolem Wojtyłą i jego przyjaciółmi studentami.

Ale przecież nie spasowałbym tak łatwo. Dziesięć lat temu, dysponując maszyną czasu, gdy umierałem z pożądania, gdy kalendarzykowe obliczenia Gosi i jej stałe teksty: dziś nie można, może jutro, to ciągłe badanie śluzu i wczytywanie się w sensacyjne doniesienia, że oto wykryto niezawodne sposoby sprawdzania płodności, te wszystkie zabawy w poranne mierzenie temperatury, przecież to naprawdę... o, nie, tak łatwo bym nie odpuścił. Że niby co? Pospieram się z Wujasem przy ognisku, raz wejdę w koleiny złego stylu, złego języka i poddam się? Nigdy.

I gdy dogasają płomienie, a wraz z nimi rozmowy, i wyczuwa się niczym nad ranem na prywatce, że czas już kończyć, Wujek, nie wiadomo skąd czerpiący energię, bo przecież wstaje zawsze przed nami, żeby podwinąwszy poły namiotu odmówić brewiarz, pyta nagle:

– A może mały przekąp? Woda w jeziorze chyba ciepła po dzisiejszym upale. Kto się przyłącza?

– Ja – pauza – jeśli można – rzucam trochę błagalnym tonem, bo rzeczywiście ta rozmowa przy ognisku wyszła chyba nie najzręczniej. Wujas pyta o ocenę swojej habilitacji, a tu mu czyżyk jakiś wyskakuje z wątpliwościami dyktowanymi przez hormony.

– No dobra, jest ochotnik. Kto jeszcze?

Na szczęście nikt się nie zgłasza, poddaje się nawet Zosia, która upatrzyła sobie ostatnio jakąś dziwną rolę nadopiekuńczej Marii Magdaleny i usłużnie, ze spuszczonym skromnie wzrokiem, nie podnosząc nigdy głosu, nie odstępuje Wujasa na krok. Dochodzi rzeczywiście pierwsza w nocy, więc stajemy wokół ognia i tworząc krąg, śpiewamy staroszkocką pieśń: „Kto raz przyjaźni poznał moc, nie będzie trwonił słów..." - te wersy brzmią jak memento dla mnie, żebym znowu za dużo nie gadał, ale czuję w swojej ręce uścisk uwielbianej dłoni, dłoni, która wędrowała wszędzie po moim i swoim ciele. I w imię tych wędrówek, tych pieszczot chcę iść z Karolem na nocne pływanie, chcę się upomnieć o nasze prawa, o prawa naszej miłości.

Wczołguję się szybko do namiotu, nie zasuwając go nawet na zamek, wciągam na siebie kąpielówki i próbuję wymacać ręcznik. Mam młode, gibkie, dwudziestoparoletnie ciało. Gdy wyginam się na podwójnym dmuchanym materacu, nie muszę się obawiać, że mi wypadnie dysk albo złapie skurcz. Słysząc moje szamotanie, Małgosia pyta:

- Czego szukasz?

- Ręcznika.

- Suszy się przecież tu, na linkach.

Biorę z jej rąk ręcznik, stopy wsuwam w półtrampki, przydeptując pięty, i mocno przytulam pachnącą dymem z ogniska, ukrytą w beżowym swetrze moją kochankę, moją kobietę, moją niewolnicę, moją żonę. Całuje mnie po przyjacielsku w policzek, co jest dość rozsądne, nie mogę przecież pobudzony paradować w kąpielówkach.

– No idź już, mój dyskutancie – mówi kpiarsko, ale wiem, że się ze mną solidaryzuje. I pewnie liczy, że coś wskóram u naszego biskupa, u Wujasa.

Jezioro jest spokojne, a woda zdumiewająco ciepła. Widzę głowę Wujasa hen, gdzieś na środku, więc czyniąc potworny hałas, ostro chlapiąc, ruszam w jego kierunku sprinterskim kraulem. Biorę oddech co trzy ruchy i z radością stwierdzam, że idzie mi bardzo dobrze. Szybko odnajduję właściwy rytm, do ruchów rąk dodaję balansowanie całym ciałem, a ustami, które wynurzam na styk, by zaczerpnąć powietrza, pieszczę powierzchnię jeziora. To jest szczęście – myślę sobie. Leciutko się chmurzy, ale nie na tyle, by pozbawić nas aluzji do kantowskiego widoku gwiaździstego nieba... To jest szczęście – myślę sobie, przechodząc z kraula na zupełnie relaksową żabkę, z odkrytą głową i swobodnym oddechem. Żona, kobieta, samica zasypia gdzieś przy wygaszonym, ale dającym jeszcze ciepło ogniu, a mąż, samiec, mężczyzna, płynie i spotyka się zanurzony między niebem a ziemią w jakiejś niezdefiniowanej, wyabstrahowanej ze skrzeczącej rzeczywistości przestrzeni z następcą apostołów, ze swoim duszpasterzem, z pasterzem naszych dusz. *Gdzie dwóch lub trzech spotyka się w moje imię, ja jestem* – ogarnia mnie leniwe szczęście i zdaje mi się, że przez ciemność widzę uśmiech Wujasa.

- Wdechowo jest - mówię trochę wbrew sobie i za chwilę żałuję tego młodzieżowego żargonu, bo wydaje mi się, że mimo uśmiechu na twarzy Wujek właśnie oddawał się modlitwie.

Karol jakby otrząsa się i mówi:

- Wiesz, Andrzeju, te chwile z wami to wielki dar dla mnie. To, że udaje mi się czasem wyrwać z kurii na parę choćby dni, jak teraz, i popływać trochę po jeziorach, pogadać z normalnymi ludźmi, ma dla mnie wielkie znaczenie. I naprawdę dziękuję ci za dzisiejsze ognisko.

Nie daje mi czasu na odpowiedź i zaczyna najpierw klasycznym, a potem kraulem oddalać się w kierunku wyspy. Płynie dość niezdarnie, szczególnie kraulem: wyraźnie ktoś, kto go uczył tego stylu w wadowickich glinankach, nie przypilnował dobrze techniki zanurzania głowy, ale i tak Karol sunie zadziornie jak trzeba. Wreszcie zatrzymuje się, zamaszystym gestem odrzuca włosy i radośnie prycha. Bierze wodę w usta i wypluwa mocnym strumieniem niczym fontanna, którą po latach, uwięziony w innym czasie, oglądać będę w centrum handlowym Galeria Mokotów.

- Wujaszku, wiesz, wydaje mi się, że i Kościół, i Wujek w sprawach seksu nieco się jednak mylicie...

- Taaak? - pyta kpiarsko Karol Wojtyła, po czym powraca do robienia fontanny ze swoich ust. Wypluwa wodę i pyta: - A w czym się mylimy?

- W sprawach antykoncepcji. Bo z jednej strony przekonujecie, że metody naturalne są skuteczne...

– Aha... – mówi Wujas, bawiąc się w wirowanie wokół własnej osi.

– ...co jako żywo nie jest prawdą, z drugiej pokazujecie, że metody sztuczne są niesłuszne moralnie, gdyż uniemożliwiają poczęcie nowego życia. Są niesłuszne, bo działają i dają pewność, a naturalne, kalendarzyk i termiczne, są w porządku, bo często zawodzą. No to, wie Wujek, ja nie za bardzo tu łapię sens.

– Czyli co proponujesz jako praktyk? – pyta wciąż uśmiechnięty Wujas.

– Przede wszystkim powiedzieć prawdę! Wyjść od prawdy. Nie mamić, że naturalne metody są takie doskonałe. Powiedzieć: trudno, to jest watykańska ruletka – nie chciałem użyć tego wyrażenia, ale ponosi mnie ten uśmiechnięty biskup pławiący się w ciepłym mazurskim jeziorze, podczas gdy tysiące par na całym świecie męczą się z tymi swoimi termometrami, ze sprawdzaniem śluzu, z wczytywaniem się w kompletnie niezrozumiałe, niewyraźnie odbite poradniki otrzymywane w kioskach parafialnych z opowieściami o kalendarzyku, metodzie Ogino-Knausa i jakichś dniach zero. – I dopiero wychodząc od prawdy, zacząć budować katolicką etykę życia seksualnego.

– Nie obraź się, prowadziłem mnóstwo podobnych szczerych rozmów, wysiedziałem wiele godzin w konfesjonale i naprawdę nie jest to takie proste i łatwe do rozwiązania.

– Ależ tę sprawę można załatwić. Ja dokładnie widzę, o co chodzi Kościołowi, i popieram to: trzeba zachować jakiś umiar w sferze seksu, trzeba narzucić sobie pewne ograniczenia. Ale nie do tego stopnia, żeby to się kończyło nerwicą. Żeby przychodziły na świat niechciane dzieci. Nie można nakładać na ludzi ciężarów, których samemu się nie nosi! - wykrzykuję, wiedząc, że i tak drogiego Karola nie przekonam, że cała moja misja i podróż w czasie okazała się jedną wielką porażką.

Wujas milczy chwilę, a potem pyta:

- Tak, a które twoje dziecko jest niechciane?

- Ale ja chcę mieć wiele dzieci i wiem, że jak katolicy się kochają, to i dzieci się rodzą. Są jednak ludzie, którzy nie chcą tak się mnożyć! Albo nie mogą. Ze względów zdrowotnych chociażby.

Sapię w wodzie, ciężko oddycham, czuję się jak idiota, bo głos jednak po takim jeziorze niesie i być może jako echo dotarł do naszego obozowiska. A Wujas mówi:

- Wiesz co? Ty jesteś bardzo blisko. Naprawdę. Pomódlmy się i wracajmy spać.

I tak, przebierając nogami dla utrzymania się na powierzchni, mając pod sobą coraz to zimniejszą i zimniejszą wodę, Karol Wojtyła, przyszły papież Jan Paweł II, człowiek, który wprowadził Kościół w trzecie tysiąclecie, który ciężko raniony przez zamachowca swoją ofiarą pokonał komunizm, zaczyna, patrząc mi prosto w oczy, mówić:

- Anioł Pański zwiastował Pannie Maryi...

- I poczęła z Ducha Świętego...

godzina 15.05

Coś mnie powinno tknąć, bo na pół godziny przed gotowością Beata – nasza pudernica, tak nazywa się dziewczynę od makijażu, żeby uniknąć brzydkiego wyrazu w nazwie make-up'istka – zadzwoniła na komórę z pytaniem, czy wiem, że tu jest dość dziwnie. Odpowiedziałem, że wiem, bo to artyści, i spokojnie wykonamy dzisiejszy plan. W końcu jąkania Beaty tak mnie rozeźliły, że podniosłem głos i prawie krzyknąłem do telefonu:

– Nie marudźcie tam, ustawiajcie światło, ty nie przesadzaj z pudrem jak ostatnio i koniec.

– Ale ona płakała! – usłyszałem teatralny szept Beaty. Dzwoniła pewnie z kuchni i nie chciała drzeć się na całe mieszkanie.

– Na raźka! – przerwałem rozmowę, westchnąłem i wdepnąłem gaz w mojej alficy.

Światło jest ustawione świetnie, w tle wisi wykonana przez Anetę grafika z Don Kichotem, szczęśliwie nieprzesłonięta szkłem, pusty fotel czeka na żonę naszego bohatera. Beata zdyscyplinowana przeze mnie przez telefon nic już nie przedłuża, tylko krótko melduje:

– Będzie za minutę.

– Okay – przeglądam notatki, zerkam raz jeszcze w monitor, a gdy pojawia się Aneta, szybko wydaję polecenia. – Cześć, Aneto. Siądź sobie tutaj, ja będę przy kamerze. O, stąd pozadaję pytania, jak coś się pomylisz, nie przejmuj się, to jest materiał roboczy, zawsze możesz powtórzyć albo ja to na montażu przykryję jakimiś obrazkami. Macie pewnie wspólne fotki? Potem byśmy je skręcili.

- Już to zrobiliśmy - mówi Tusia, kierowniczka produkcji. Dźwiękowiec uwija się i przyczepia do puchatego swetra Anety mikrofonik na klipsie.

- Super, to w ogóle nie ma problemu. Czyli: możemy zaczynać. Aha, jak będziesz odpowiadała, to patrz na mnie, a nie w kamerę, to będzie lepiej. Chyba że chcesz coś spuentować, to jeśli ci się uda, możesz rzucać tekst do kamery. Tylko wytrzymaj wzrok. Wiesz, powiedz i patrz uparcie w kamerę, wyobrażając sobie, że tam jest człowiek, który przeżywa właśnie to, co powiedziałaś. Okay. Ale tak ogólnie to wal do mnie, w porządku?

- W porządku - odpowiada Aneta. Głos rzeczywiście lekko zachrypnięty, zakatarzony. Może i płakała.

- Aneto, to parę słów na próbę, żebyśmy ustawili dźwięk.

- Dobra - mówi Anetka. - Nie cudzołóż, nie pożądaj żony bliźniego swego, nie mów fałszywego świadectwa... - recytuje z jakąś nienawiścią.

- Starczy - przerywam - nie po kolei, ale w porządku - próbuję obrócić w żart jej dziwaczne pogrywanie, bo jak mi się zatnie, to trzeba będzie się zwijać i nici z pracy. I tak dobrze, że jest trzeźwa. Czasem nagrywa się jakiegoś autoryteta moralnego, a on nawalony jak stodoła i już w ogóle nie ma roboty.

Pierwsze pytanie jest zawsze na śmietnik, więc zadaję takie na wiwat, żeby Aneta oswoiła się z kamerą, operator ocenił, jaka jest ekspresja wypowiedzi, a dźwiękowiec coś jeszcze dostroił.

– Jak żona znosi popularność swojego męża? Sławek chyba teraz cały czas w rozjazdach... – zawieszam głos, bo widzę, że Aneta siedzi jakaś otępiała, jakby wpadła w stupor. Wykonuję szeroki, zachęcający gest ręką i kiwam głową wyczekująco.

– Prawdę mówiąc, ciekawsze jest chyba, jak on znosi rozłąkę ze mną...

Kiwam głową jak kiepski dziennikarz telewizji publicznej, sygnalizując, że tak, świetnie, o to chodzi, cały świat czeka na twoje mądre słowa, Anetko. Zerkam w monitor, wygląda dobrze. Lekkie kontrowe światełko wydobywa jej głowę z tła, a filmowe boczne świecenie rzeczywiście robi z niej nawet niezłą laskę, taką z tajemnicą, z ciekawym wnętrzem.

– Ja też często wyjeżdżam, bo przygotowuję teraz wystawę w Łodzi.

No tak, myślę sobie, urażona ambicja, jasne, Anetka jest przecież plastyczką i widocznie nieco zazdrości Sławkowi, trzeba będzie skorygować prowadzenie rozmowy. To zresztą będzie niezłe: zdolna malarka i eseista – prawdziwie artystyczny dom.

– I gdy wracam po paru dniach nieobecności, to zastaję mieszkanie całe wysprzątane.

Kiwam głową jak kościelny gipsowy aniołek po wrzuceniu monety, chociaż powinienem się zmarszczyć, bo troszeczkę nie wiem, do czego nasza Aneta zmierza. Ale kiwam, kiwam.

- I Sławek, który jest wybitnym katolickim moralistą - no nie no, ten sarkazm jest tu zupełnie niepotrzebny, ale nadal się uśmiecham, bo przecież przykryję to fotkami i podetnę sobie dźwięk - zawsze sprząta nasze gniazdko niezwykle starannie, żeby niczego nie przeoczyć.

Do czego zmierza gadka Kazimierza - tego już naprawdę nie wiem.

- Ale wiadomo, że praca, której się podjął Sławek, jest bardzo trudną misją. - No nareszcie! Wzdycham i kiwam głową, a na mojej twarzy pojawia się uśmiech pod tytułem „będą łakocie w nagrodę". - Mój mąż podjął przecież wielkie zadanie przeciwstawienia się postmodernistycznemu relatywizmowi - trochę za mądrze, ale w porządku. - I jako katolicki moralista musi zmieniać prześcieradło, a czasem i całą pościel.

No nie, do czego ona zmierza?! Ale kiwam, kiwam, kiwam głową.

- A ostatnio znalazłam w łazience nie swoją kredkę konturówkę - zawiesza głos i kończy bardzo spokojnie - i to upewniło mnie, że całe te wasze katolickie zabawy to jeden wielki bullshit - milknie, po czym pyta już prywatnym, zgaszonym głosem: - To co, chyba skończymy tę komedię?

Ja ze swojego reżyserskiego zydelka:

- Ale Aneto, o co chodzi?

– O to, że Sławek, wasz wspaniały, wrażliwy Sławuś właśnie odszedł do młodziutkiej studentki, która mu bardziej pasowała, a żonę zostawił z małym dzidziusiem, bo mu przeszkadzali w pracy.

Ja głupio pytam:

– Serio?

– Całkiem serio i na zawsze.

– No to chyba rzeczywiście kończymy... – mówię i słyszę swój łamiący się głos, dodaję więc głośniej, z przepony, do całej ekipy, żeby usłyszeli wszyscy: i ci, co w kuchni czekali na polecenia, i ci, którzy nagrywali tę niezwykłą, niepowtarzalną sesję: – Dzięki. Na dziś kończymy.

Sławek pękł. A może to po prostu ja go wystawiłem? Marząc o tym, że ktoś tę robotę załatwi za mnie. Skryłem się za nim, jakby wskazując go na cel Złemu. Klaszcząc tylko z zachwytem nad jego pisaniem, jednocześnie wstrzymywałem się przed daniem własnego świadectwa. Przecież czyniłem to ze strachu. Właśnie przed tym, że jak będę pyszczył i się stawiał, to zostanę potraktowany z całą bezwzględnością. I diabełek, niczym w prologu do Księgi Hioba, załatwi u Pana Boga zgodę na lekkie doświadczenie mnie, czy to cierpieniem, czy pokusą. I pokaże Panu Bogu, że żaden ze mnie mąż sprawiedliwy, tylko zwykły farciarz, potwierdzający prawdę wyartykułowaną kiedyś przez Friedricha Nietzschego: że człowiek jest religijny wówczas, gdy mu się po prostu dobrze wiedzie. Racja. I diabełek udowodni, że wystarczy lekka pokusa, szlabanik na aniołków stróżów, i już moralista Andrzejek rzuca wszystko, co tak wychwalał: żonkę, dzieci, czystość, paciorek ranny i wieczorny... Więc jeśli nie ostrzegłem Sławka, nie zwierzyłem mu się, to jednak ździebko go wystawiłem.

I oto Sławek odjeżdża w niebyt, do tłumu ludzi, których już nigdy nie spotkam, z którymi już nigdy nie pogadam od serca, odjeżdża i staje się dla mnie niepokojącym znakiem. A byliśmy przecież tak blisko! Chociaż raz zaniepokoił mnie bardzo solidnie i wstrząsnął wątłymi podstawami mojego małżeństwa. Robiliśmy razem jakiś program kulturalny - nagrywałem jego wypowiedź o kandydatach do literackiej nagrody Nike, więc podrzucałem go na plan. Miał stać na tle Pałacu Kultury i bardzo srogo chłostać wszystkich nominowanych, z goryczą wyrażając się o pominięciu jednej powieści.

Grzejemy - miałem chyba wtedy jeszcze forda, są wakacje, Warszawa pusta, ulice się nie korkują, a i mnie przepełniają radość i swoboda. Gosia z dzieciakami wyjechała w góry, nadrabiam zaległości w czytaniu, sporo oglądam na wideo, mogę mieć w domu rozłożoną pracę, a bardzo to lubię: zabałaganić cały salon i potykać się prawie o kasety VHS, książki, albumy z reprodukcjami. Lato to przecież wspaniały czas przygotowywania nowych telewizyjnych projektów: na stole mam porozkładane różne makiety scenografii od Martyny, sam wyłapuję z innych telewizji ciekawe rozwiązania. Czuwam uzbrojony w pilota, żeby nagrać to i owo, no i przy okazji robimy jeszcze ten magazyn kulturalny. Zresztą zakończenie każdego sezonu - wakacje - to prawdziwe żniwa: czas spływania ostatnich faktur, dni, kiedy wreszcie widać, ile to kasy natrzepało się na czysto przez cały rok.

Pomykamy fordem po Alejach Niepodległości, śmiejemy się:

- Wiesz - mówię - ja noszę pumy też jako wyraz swego protestu przeciw nagrodzie Nike.

Zielona fala pozwalająca szybko gnać Alejami nagle kończy się przy Dąbrowskiego. Stajemy na czerwonym i Sławek pyta nagle:

- Ty, a to nie twoja Małgosia?

Nie odrywając wzroku od radia, bo gmeram po kanałach, szukając jakiejś fajnej muzyczki, rzucam:

- Gosia z dzieciakami jest w górach, przed chwilą z nią rozmawiałem.

Na co Sławek twardym głosem:

- Ale popatrz, patrz, to chyba jednak ona.

Podnoszę wzrok i nieruchomieję. Rzeczywiście - wygląda jak moja Małgosia. Ubrana nieco inaczej, choć w jej stylu: ogrodniczki, granatowy T-shirt. Mała, nieciekawa blondynka. Bez błysku w twarzy, za to z dużym nosem, z banalnymi włosami. Krok ma niespecjalny - zmęczona, niewiedząca, co to seks, dziewuszka, bez najmniejszego uroku. Patrzę na to monstrum, tego dziwnego stwora, zjawę, która wolno, bardzo wolno, za wolno przesuwa się wzdłuż maski forda, tłumię w sobie przestrach, przerażenie, gonitwę myśli i starając się nadać głosowi naturalne brzmienie, mówię:

- Może rzeczywiście trochę podobna. - Łżę, jakże jawnie łżę, przecież sam - ja, mąż z kilkunastoletnim stażem, widzę, że ten fantom to Małgosia odtworzona jeden do jednego! Ze wszystkimi wadami, z wyolbrzymionymi cechami, które wyłażą na wierzch, gdy jest zmęczona, gdy się wścieka albo nie wyśpi.

Sławek prawie krzyczy z entuzjazmem:

- Jak to - trochę?! Przecież identyczna. Przypatrz się, przecież to ona!

Staram się spokojnie perswadować:

- Nie, ona jest z dzieciakami w górach, już ci mówiłem. Zresztą ta jest inna - ale nie dodaję, że moja Gosia jest ładniejsza albo wyższa, albo, no nie wiem, ma mniejszy nochal. Brak mi sił. Dziewczę przeszło wreszcie tę koszmarnie szeroką ulicę i coraz bardziej maleje, idąc w kierunku warzywniaka.

Więc nagle zobaczyłem Gosię bez miłosnych okularów na swym nosie, zobaczyłem, jak wygląda naprawdę. Przeraziłem się. Nie mam pojęcia, co to było. Jakaś zbiorowa fatamorgana? Czy prowokacja Złego?

Z profilem wpisującym się w przeraźliwie wydłużony trójkąt, z potwornie, chorobliwie rozrośniętym nosem, jak bulterier z pyskiem znaczonym cierpieniem: tępawa, koszmarna. Nie wiem, jak opisać wady uwydatnione przez to tajemnicze wcielenie mojej Małgosi.

Wiem natomiast, co zrobiłem po powrocie do domu. Przyniosłem z piwnicy albumy rodzinne, usiadłem z flaszką whisky Canadian Club i waląc prosto w gardło złocisty napój, patrzyłem na nasze zdjęcia, żeby odczarować tamten obraz. Z zadartą głową, wpatrzony w malutki srebrzący się na ścianie krzyżyk, mówiłem:

– Jezu, błagam Cię, przywróć mi miłość. Przywróć miłosne spojrzenie.

Z szafy w sypialni zniosłem kilka par jej butów: te czarne do pół łydki z lakierowanymi noskami i ortalionową cholewką, szare wizytowe z jakiegoś lekko połyskującego zamszu z wysokim masywnym obcasem jak do tańca flamenco i nawet te pogięte białe ślubne, jakże rozbrajające w swojej niewinności. Opróżniwszy jedną flaszkę, chwiejnym krokiem powlokłem się na stację benzynową naprzeciw. Kupiłem następną butelkę. Tym razem Black Velvet. I waliłem tę whisky, modląc się.

Wszyscy faceci to kutasy. I dlatego powinni oddać się pod opiekę Panu Bogu. Więc może pojechać tym tropem na żałobnym nabożeństwie na Błoniach. Zaczyna mi chodzić po głowie pomysł wielkiego skowytu, nie jakiegoś tam ugłaskanego lamentu, choć takie żale i trop wielkotygodniowy oczywiście także trzeba będzie zastosować – ale wielkiego kobiecego skowytu. Skowytu, jaki powinien wydobyć się z gardeł naszych żon, naszych kobiet, wciąż zdradzanych, bo przecież zdradzonych na początku świata przez takie a nie inne jego stworzenie. W wielu chwilach gardzę przecież swoją facetowatością, swoim kutasizmem i chciałbym za to jakoś przeprosić, za te chwile, gdy moja chuć wędruje poza rodzinny dom, gdy nie daje się już sublimować w ramach małżeńskiego seksu. Więc może skowyt.

Na końcu imprezy, gdy wszystko zostanie kulturalnie podane, chóry odśpiewają lamentacje, gdy ludzie poczują się podniośle, uroczyście i szlachetnie, nagle zabrzmi dziwna wokaliza, przeradzająca się w straszliwy skowyt. Skowyt, przy którym popisy Sinéad O'Connor to małe miki, chociaż to byłby mniej więcej ten trop. Skowyt płynący z jakichś powikłanych, przez nas facetów nigdy niezrozumianych pokładów i głębi kobiecych, z jakichś zakamarków macicy. Pokazujący zdradzone kobiece najgłębsze orgazmy, oskarżający nas, facetów głupich i płytkich, którzy zasapani myślą, że są cholernymi królami świata, podczas gdy nasze kobiety w ekstazie podróżują gdzieś po niewyobrażalnych przestrzeniach, odwiedzają wspaniałe, nieznane krajobrazy. Tak! Chciałbym, żeby wszystkim facetom stanęły przed oczyma te chwile ich małości, kiedy pomerdali swoimi korzeniami, nawet starając się jako tako, i dumni z siebie nagle zobaczyli, że ich kobiety robią jakieś nieludzkie, pozazmysłowe wycieczki...

I żeby te wszystkie ważniaki w furażerkach służb porządkowych, te grubasy w garniturkach ochoczo intonujące nabożne pieśni, uświadomiły sobie, ile biorą co dzień od swoich kobiet, gdy one wieczorami przytrzymują im, miotanym torsjami, głowy nad kiblem, gdy troskliwie owijają ich kanapki do pracy, gdy wysmarkują dzieciom nosy albo każąc opluć chusteczkę, przecierają policzki. Kurwa, niech wszystko będzie w tym skowycie. I protest przeciw starości i śmierci, i przeciw śmierdzącym męskim skarpetom, i przeciw naszej nieuwadze i niedelikatności. Niech rozbrzmiewa nad Błoniami skowyt, że odchodzi papież, i skowyt, że świat się kończy, i skowyt, że ci faceci, my wszyscy to takie palanty!

Ale może będzie to też zaoczne „przepraszam" za nakładanie na rodziny ciężarów nie do uniesienia, za tych wszystkich pijanych macho, którym katolicyzm nie pozwalał na włożenie gumy, za tych wszystkich wałów, którzy odchodzili kuszeni przez kobitki dające dupy na każde zawołanie. Może będzie to więc „przepraszam" nie za jakieś egzotyczne rzekome zbrodnie na Zulusach czy Aborygenach, ale za te zbrodnie najbliższe i namacalne: za zbyt rozhuśtaną hipokryzję niedopuszczającą do mówienia w Kościele otwartym tekstem o seksie, za głupi wstyd uniemożliwiający dobre przygotowanie małżonków, za niepodjęcie trudu stworzenia nowej antropologii. I za tych pieprzonych zboczonych księży molestujących dzieciaki. Krzyk niesie się po Błoniach i przekazywany z głośnika do głośnika, wzbogacony o odpowiednie echo powoduje ciarki u ludzi, którzy myśleli, że to już koniec nabożeństwa. Skojarzenia interpretacyjne są natrętne: tak, to seks, to zwierzęcość, to skowyt...

lato 1998

Jak się pędzi ku zdradzie?

Siadam przy marniawym turystycznym stoliczku na usłużnie przyniesionym przez krościatego chłopaczka fotelu na kółkach, takim obrotowym, biurowym, z jak zwykle dziwacznie rozregulowanymi podłokietnikami i niepewnym oparciem, siadam, nieco wkurzony paroma ruchami sprawdzam, czy się nie wyłożę, ale mimo że cała ta konstrukcja jeździ we wszystkie strony, jakoś daje się na niej utrzymać. Cicho, żeby nie zagłuszać instrukcji prowadzącej próbę pani Renaty, potwierdzam szeptem „kawy, kawy tak, bez cukru" i wyjmuję mojego laptopa, żeby ewentualnie poczynić notatki. Gmeram z boku, próbując wyciszyć melodyjki towarzyszące otwieraniu programów, znów nie jestem pewien, czy regulację głośności trzeba dziabnąć do przodu, czy w tył, więc pochylam się, żeby sprawdzić, jak tam narysowali, w końcu siadam prosto.

Macham ręką do wyśmienitej, chyba już z pięćdziesięcioletniej instruktorki tańca, no tak, przecież zaczynała jeszcze w latach siedemdziesiątych, w Studiu 2. Renatka w odpowiedzi posyła mi branżowy uśmiech, sugerujący sypialniane związki między nami. Na myśl o tym twarz mimowolnie wygina się w szyderczo-melancholijnym grymasie, a ona, biorąc to za dobry znak, mruga serdecznie, kocio, obojgiem mocno na niebiesko pomalowanych oczu.

Przede mną w nieco zakurzonej sali prób w podwarszawskiej miejscowości dwadzieścia finalistek konkursu ćwiczy układy taneczne. Wygląda to oczywiście żałośnie. Dziewczyny ubrane w zgrzebne stroje gimnastyczne, w większości nieumalowane, są dopiero na początku przygotowań do finałowego występu w Sali Kongresowej, więc nie dość, że idzie im bardzo słabo i nierówno, to jeszcze brak makijażu, fryzjera oraz te ich ubrania od Sasa do lasa dają efekt kompletnej żenady.

Na dwudziestkę dziewuch tylko parę zrozumiało, że prośba o swobodne, sportowe ubiory nie jest zgodą na abnegację, że kandydatce na Miss nie wolno w żadnym momencie życia wyglądać niechlujnie i nieefektownie. Reszta, kilkanaście dziewczyn, potraktowała polecenie szefów zgrupowania dosłownie: mają na sobie jakieś powyciągane legginsy sprzed dwóch sezonów, spodenki gimnastyczne zakupione zapewne na lekcje wychowania fizycznego w ich zatęchłych szkołach, wyblakłe T-shirty. I co? I teraz lekka panika i zmieszanie, bo przyjechał pan reżyser z Warszawy, a przecież nikt nam nie powiedział i myśmy myślały, że dzisiaj to tak luźno. Panny nieroztropne! Już wydałyście na siebie wyrok.

Kiwam na asystenta, prosząc, żeby dostarczono mi listę dziewczyn i oznaczono je numerkami na czas próby. Głosowanie głosowaniem, koncert finałowy i plebiscyt telewidzów to bardzo ważne sprawy, ale przecież konkretnego wyboru trzeba dokonać tu, na miejscu, zastanowić się, jaką telewizyjną pocztówkę zrobić której dziewczynie, która powinna wygrać i jak temu dopomóc.

Spośród roztropnych dziewczyn trzy to rzeczywiście niezłe pytony: po metr osiemdziesiąt, widać, że ich ciała wypieścił już kilkuletni trening i nikt nie da wiary naiwnym opowieściom: och, to koleżanki z klasy mnie namówiły, powiedziały, pojedź, sprawdź się, masz szanse. A ja naprawdę nie wierzyłam, no owszem, miałam powodzenie, ale żeby startować w konkursie... Tak samo nikt przecież nie pomyśli, że te trzy szprychy marzą o pomocy niepełnosprawnym dzieciom i o ochronie środowiska. W ich ciałach znać całą świadomość tego, że trzeba pracować, pracować, pracować, że trzeba wypocić z siebie hektolitry wody, wspomagać się chemią, uważnie kontrolując, czy dany specyfik nie powoduje skutków ubocznych, zasuwać na solarium, obracać się wśród właściwych ludzi i dawać im to, czego wymagają. Mięśnie brzucha, których mógłby im pozazdrościć niejeden bokser, pośladki, którymi mogłyby miażdżyć orzechy, to wszystko otoczone minimalną warstewką tłuszczu, żeby nie wyglądało zbyt agresywnie, żeby zbyt zarysowany muskuł nie powodował onieśmielenia u facetów-marzycieli.

Dziewczyny mają już numerki przyczepione do przegubów rąk, przeglądam więc listę i widzę, no tak, najlepsza ma na imię Joanna, ale też przebija wszystkie szare myszki w nieszczęsnych kostiumach gimnastycznych swoim ubiorem: fantastyczne czarne body Nike'a dobrane do jej własnego nieziemskiego body. Mimo że finał dopiero za trzy tygodnie, ta już jest gotowa, widać, że dobrze spędziła wakacje, odwiedzała solarium, wie, kim jest i o co w tej grze chodzi. Jedyna wątpliwość to czy owa pewność siebie nie za bardzo odbija się w jej spojrzeniu, czy jej twarz nie jest zbyt kurewska. Ale to się da jakoś przykryć. Tym bardziej że sama widzi, w którym kierunku iść, jej trochę za ciemny makijaż ma nieco wysmuklić twarz, żeby głowa nie wyglądała zbyt okrągło. Wie, że przyszedł ważny pan od telewizji, raz po raz zerka na mnie wyzywająco, a do układów tanecznych wplata swoiste wibrato brzuchem, zarzuca gęstymi blond włosami, nieco zbyt wulgarnie rozjaśnionymi, trzeba będzie popracować nad lekkim balejażem, żeby je usubtelnić, ale okay. Jest wymarzonym produktem: niebieskie oczy, włosy zrobione na blond, usta na pewno poprawiane silikonem, biust... czy ja wiem: wygląda nieźle, dobrze udaje naturalny, średni, jędrny biust. No i brzuch ma dziewczyna wyrzeźbiony wprost niesamowicie: jej instruktorka zrobiła mistrzostwo świata. Przy skrętach i gibaniu nie wyskakuje jej drabinka z mięśni, wszystko utrzymane jest w akuratnej proporcji, pokazuje właśnie tyle, ile trzeba, wysyłając komunikat: jestem sprawna i umiem tak pracować biodrami jak żadna inna. Poza tym rusza się naprawdę super: jest elastyczna, każdy krok wykańcza, otaczając go jakąś mgiełką erotyzmu, owszem, teraz, gdy trwają dopiero próby, może to wyglądać nieco komicznie, ale ona, wspaniała, wysoka, rozrośnięta dziwa, wie, że w tańcu chodzi o kuszenie, o sugestię rozkoszy, i musi tu i teraz demonstrować, jak jej ciało przygotowane jest do miłości. Toteż i w tej sali, zakurzonej, oświetlonej byle jak, Joanna prezentuje się zdecydowanie najlepiej, wyraźnie jest liderką, nawet jej potknięcia, puentowane spojrzeniem na mnie spod burzy blond włosów, świadczą o pełnym profesjonalizmie. Ale i o wdzięku. Czy wdzięk, kobiece wabiki naprawdę da się wytrenować? Czy nie jest to po prostu dar? Cholera wie, Joanna natomiast na pewno wie, że chce wykorzystać swoją szansę na ziemi i wypić z soków, które ofiarowuje doczesność, co się tylko da.

Pozycja druga to... zerkam do spisu osób: Bernadetta z Poznania. Bernadetta. Niezłe. Czy rodzice zdawali sobie sprawę, o co chodzi z tym imieniem, czy może sądzili, że to jakieś takie fajne nowomodnie brzmiące francuskie jak Brigitte? W każdym razie ta to w Lourdes by niczego dobrego nie zdziałała. Ponieważ dziewczyna jest zwyczajnie niedorobiona, wygląda jak lekka karykatura całego świata męskich marzeń. Biust ma na pewno zmajstrowany gdzieś na Zachodzie, ale od razu wpompowali jej silikonu, jakby miała występować w *Słonecznym patrolu*, a nie grać rozkwitającą dziewczynę poszukującą opiekuna. Ma więc to za duże, a poza tym zupełnie już niepotrzebnie podkreśla swoje wymiary jaskraworóżową górą. Chociaż, zerkam do jej karty, dziewczyna ma dziewiętnaście lat, studiuje jakieś zarządzanie na prywatnej oczywiście uczelni o pompatycznej nazwie, no, może ktoś się załapie. Pupę ma w porzo, też widać, że się nieźle namęczyła w siłowni. Włożyła na dziś bardzo ostro wcięte obcisłe majteczki, prawie stringi, które opinają wąskim błękitnym paskiem talię i zdecydowanie wydłużają nogi, świadomie pewnie zrezygnowała z getrów, które tu są prawie normą, więc wygląda bardzo dynamicznie, nawet w tych białych sportowych butach wyraźnie widać smukłość jej pęcin.

O, teraz dziewczyny, stojąc tyłem do mnie z prostymi lekko rozchylonymi nogami, wolno skłaniają się do przodu. Ich ciała robią kąt prosty. Ekspozycja łydek, ud i pośladków wręcz wymarzona.

– Trzymamy, trzymamy kąt prosty – komenderuje zachrypniętym od papierosów i wódzi głosem instruktorka Renata, mrugając do mnie porozumiewawczo.

No tak, tutaj Bernadetka mogłaby swobodnie konkurować z Joanną, w zasadzie remis ze wskazaniem na nią. Smukłe uda i wyśmienite kuliste pośladki, przy czym ich kształt to efekt nie tylko treningu i ustawienia mięśni, ale też wyrafinowanej pracy natury. Nieźle. W ogóle Bernadetta byłaby w zasadzie do zaakceptowania, gdyby nie drobny naddatek wulgarności w jej twarzy, no i ten biust, powodujący, że od razu widać, o co chodzi w tej grze. W naszej Bernadetcie nie ma za grosz tajemnicy. Trudno.

Trzecia z liderek to Bogusia. Też niezłe imię. Bogusława. Leniwie zaczynam oceniać szanse tej czarnulki, cały czas walcząc z myślami o męce depilacji, o tym nieszczęsnym wąsiku, który co rano musi nasza Bogusia maskować pudrem. Czasami gromadzi się on na włoskach i jeszcze bardziej uwypukla zarost. To straszne. Ale jednocześnie jest w tej dziewczynie wspaniała aluzja do cygańskości, do Carmen, do namiętnej, niewykalkulowanej miłości, żaru i dzikości, które nie są efektem siłowni, solarium, technologii... W dziewczynie walczą dwa style – wysokiego zimnego pytona oraz sennego, jakby obezwładnionego własnymi hormonami dziewczęcia wkraczającego dopiero w wiek dojrzałości. No i strasznie się peszy. Gdy nasz wzrok się styka, z jej twarzą robi się coś dziwnego: spuszcza oczy, pąsowieje. Nie jest w stanie utrzymać spojrzenia i przesłać nim jakiegoś komunikatu, obietnicy.

Patrzę na inne dziewczyny, na wykwity pojawiające się na ich nogach, na cellulitis, który już zaczyna atakować ich młode i przecież wcale niegrube ciała, i widzę, że w zasadzie wybór się dokonał. Niestety, przerwa obiadowa będzie dopiero za jakąś godzinę. Szkoda, bo zabawnie byłoby już teraz porównać moje spostrzeżenia z ocenami trenerki, zobaczyć, jak jej czysto kobieca zawiść skieruje się przeciw niektórym dziewuchom, posłuchać nowych grepsów i określeń na poszczególne kaszaloty, kaszany, żenady, galarety.

Drzwi na salę otwierają się ze skrzypieniem przebijającym nawet dość głośną muzykę. Kątem oka, bo nie chcę odrywać się od robienia notatek, zauważam, że wchodzi jakaś dziewucha w jasnych spodniach do pół łydki. Klepię w laptopa i niezbyt poręczną myszką w postaci pipka pokrytego gumką próbuję tasować kolejność wersów, gdy czuję, jak przeszywa mnie dreszcz. Dziewczyna, która zbliża się do stolika ustawianego jakieś dwa metry od mojego – to Monika. Pochylam się nad laptopem, zastanawiając się, skąd tu się mogła wziąć. Asystent, ulokowawszy ją, zbliża się do mnie i szepcze:

– Reprezentantka sponsora, Fan Cosmetics.

Dla ciebie, synku – myślę sobie – reprezentantka sponsora, dla mnie Monika. Albo Mona, albo Moni. Podnoszę głowę znad laptopa i niestety, w naszych spojrzeniach jest wszystko: całe te minione kilkanaście lat, gdy ja byłem jej homme fatal, a ona to próbowała mnie zdobyć, to znienawidzić, intrygowała, obracała wszystko w żart, by po paru tygodniach zamęczać mnie nocnymi alkoholowymi telefonami. I działo się to wszystko bez jakiejkolwiek zachęty z mojej strony. To nie jest tak, że uwodziłem, a potem rzuciłem. Że cokolwiek sugerowałem, a potem przestraszyłem się i zwiałem. Nic z tych rzeczy.

Monika zobaczyła mnie po raz pierwszy w Bukowinie, gdzie w czasie ferii zimowych na pierwszym roku jeździłem sobie na nartach, wieczorami czytając Prousta i marząc, że zostanę nadwrażliwcem. Pewnie trochę z tego marzenia emanowało na spotkaniach w zakopiańskich knajpach, gdzie miksował się cały Uniwersytet Warszawski i w papierosowym dymie każdy z osobna pokazywał, jaki to nadzwyczajny z niego gość. Już wtedy wpadłem jej w oko, dowiedziałem się o tym podczas oficjalnych oświadczyn, które nastąpiły w niecały rok później, rok pełen przedziwnych, bo niezrozumiałych i nieczytelnych dla mnie podchodów. Gdyby Moni była jakimś ohydztwem! Wtedy wszystko poszłoby łatwiej. Wewnętrzne receptory na pewno szybciej ostrzegłyby mnie przed zbliżającym się niebezpieczeństwem, zerwałbym znajomość bez jakichś specjalnych pretekstów, zresztą moje ciało zbuntowałoby się mocno i wysłało wystarczająco zniechęcający sygnał w jej kierunku. Ale niestety, nie wiadomo zupełnie, dlaczego Monika, która była piękną dziewczyną, najładniejszą na całej socjologii, i mogła mieć, i miała zresztą, wszystkich facetów, jakich chciała, uwzięła się na mnie. Dostrzegła we mnie wewnętrzne światło – mówiła mi to w czasie jednej z tych sesji, które miały wszystko oczyścić: ot, opowiemy sobie o swoich uczuciach, wyrzucimy to wreszcie z siebie i będziemy mogli zostać przyjaciółmi... Może i miałem kiedyś jakieś wewnętrzne światło i piękno, najpewniej pochodziło ono z mojego wzruszania się samym sobą i było swoistą formą narcyzmu określaną przez brutalnych ludzi tekstem, że „komuś staje do środka".

Ha, w czasie studiów naprawdę mogłem robić wrażenie, a nawet najbardziej zepsuta dziewczyna – Monika była już wtedy zepsuta, miała wiele przygód z facetami, niektóre cyniczne, niektóre jakieś podle alkoholowe – więc mogła widzieć we mnie, szlachetnym Pinokiu, szansę na swoje powstanie z grzechu i uszczęśliwienie mnie. Tylko nie przewidziała jednego: tego mianowicie, że Pan Pinokio, po pierwsze, okaże się zupełnie drewniany i nie będzie chciał się łapać na jej wdzięki, po wtóre, jej akcje będą się zupełnie mijały w czasie z dyspozycją szlachetniaczka, po trzecie wreszcie, że amunicja przez nią stosowana będzie zbyt słaba.

A przecież Moni miała jeden z najwspanialszych tyłków na uniwersytecie, przypominam go sobie bez trudu, jak kołysze się w opiętych loisach, gdy ona stawia trochę za duże kroki, idąc przez dziedziniec na Krakowskim Przedmieściu. Miała świetną figurę, w bawełnianej, zwiewnej koszulce, białej w bladoniebieskie paseczki, wyglądała rzeczywiście bosko. Była ładna, wrażliwa, błyskotliwa, doświadczona. A jednak cały czas się rozmijaliśmy, nie potrafiła znaleźć na mnie sposobu, a może ja po prostu nie chciałem być zdobywany...

Widzę, jak zjawiskowo ubrana w czarny opięty golf, minispódniczkę, w wysokich ponad kolana skórzanych butach, chuda do granic możliwości wodzi za mną wzrokiem w czasie sylwestra w jakimś nowomodnym klubie bilardowym. Pamiętam, że podnieca mnie ta sytuacja, a jednocześnie wiem, że to byłby upadek, i mówię sobie: nie. Po co zresztą walczyć o coś, co jest już poddane? Widzę ją w zupełnie kiczowatej scenie: w „Bazyliszku", na imprezie otwarcia nowego radia, mocno pijana odtrąca rozochoconych zalotników, którzy starają się poocierać o nią, i wziąwszy w szczupłą dłoń z krwawoczerwonymi paznokciami różową jedwabną chustę, wodzi nią po twarzy, przesuwa wokół rozchylonych ust, jednym słowem przeżywa wielką miłość do swego Pinokia. I co? I nic. Nic nie wychodziło. Nawet nie w tym rzecz, że nie było tak zwanej chemii. Może i mnie to brało, ale się nie złożyło.

Śledziłem przez lata, czasem z oddali, czasem z bliska, jak Moni się spala, jak nie może znaleźć właściwego faceta. Jej porażki miłosne: źle ulokowane uczucia, toksyczni dżentelmeni, pulchni inteligenci - wszystko to miało w tle mnie. Początkowo czułem durną satysfakcję, później złapałem się na tym, że jest to kompletnie ślepa uliczka. Spotykając się z nią na przeróżnych prywatkach, w knajpach, w teatrach, na wernisażach, byłem więziony przez jej monologi na wiele godzin i jednocześnie docierało i do mnie, i do niej, że sprawa jest po prostu beznadziejna.

A Monika też starała się zmieniać strategię - niewinną pensjonarską miłość przekształcała w swych myślach w próbę cynicznego uwiedzenia à la *Niebezpieczne związki*; zakładała się z moimi przyjaciółmi o skrzynkę whisky, że do grudnia wyląduje ze mną w łóżku, a potem, gdy prowokowała jakieś spotkania, opowiadała mi o tym ze śmiechem. I tak to szło, aż w końcu zaczęło się wydawać, że wszystko rozwiał czas. Ile zresztą może działać taka toksyna? Monika zdążyła już urodzić dwóch świetnych synów, pogonić męża-brutala, wyniszczać się zupełnie niepotrzebną przy jej super figurze dietą, przeżyć okresy załamania i abnegacji. Pamiętam, że kiedyś zobaczyłem ją w kawiarni „Na Rozdrożu" stojącą przy szatni. Zgarbiona - tendencję do garbienia zdradzała zawsze, jak większość przedwcześnie rozwiniętych dziewcząt, chociaż biustu nie miała wielkiego. Ale to zgarbienie, gdy nieświadoma mojego spojrzenia z numerkiem w dłoni czekała przy blacie na nadejście szatniarza, była akurat jesień, to zgarbienie miało jeszcze jakiś dodatkowy element, jakby puściły jej mięśnie brzucha, i coś ukłuło mnie boleśnie: oto Monika – wspomnienie mojej młodości, stacza się nieuchronnie w starość. A wraz z nią i ja.

Siedzi teraz o pięć metrów ode mnie. Z ładnej męskiej skórzanej teczki wyciąga firmowy notes i zajmuje się obserwowaniem pląsających dziewczyn. Nie ma dzisiaj wdzięcznej roli. Chociaż wysoka – liczy metr siedemdziesiąt osiem – i szczupła, reprezentuje tu przecież świat zgredów. Bo czyż jej trzydzieści pięć lat i ciało doświadczone dwoma porodami nie jest po prostu stare tutaj, w tej sali, gdzie triumfuje młodość? Czasem całkiem jeszcze niewykluta, niezgrabna, nieopierzona, ale triumfująca, choć świeża i niepewna.

Zerkam na Monikę: podkrążone fiołkowe oczy wydają się niewiarygodnie wielkie w bardzo mizernej twarzy, przypomina mi nie po raz pierwszy Mię Farrow z jakiegoś bardzo smutnego filmu, makijaż nie do końca kryje szarość cery, jedynie włosy ścięte dość krótko i zaczesane do tyłu wyglądają jako tako. Dziewczyny na parkiecie ćwiczą kolejne figury niczym klasa przed balem maturalnym pobierająca lekcje poloneza, a ja popatruję sobie z ciekawością na Moni, która całkiem serio traktuje wizytę tutaj i lekko pochylona nad notesem coś zapisuje. Przychodzi na mnie fala rozczulenia. Patrzę na jej małe uszy, zgrabny nosek, z uśmiechem przypominam sobie, jak nasyłała na mnie przyjaciół i kolegów, żeby nakłaniali mnie do skonsumowania naszej znajomości. Niektórzy, nie wiedząc, że ich gra była prosta do rozszyfrowania, zachwalali Monikę jako fajny towar i z radością przyjmowali fakt, że ochoczo włączałem się w komplementowanie jej urody i podbijałem stawkę, ocierając się prawie o pornograficzne gawędziarstwo. Inni zachodzili mnie od strony psychologicznej i czynili zwierzenia, jak bardzo pragną Moni, a są odrzucani. Tak, pamiętam te dziwne, mętne rozmowy w klubowych barkach i w palarniach bibliotek. To była jakaś paranoja. To było po prostu kiepsko wymyślone.

Monika wygląda dziś bardzo źle. Lniane szare spodnie do pół łydki z pewnością nie są najlepszą bronią, jaką mogła wyciągnąć ze swojej szafy przeciw tej krzyczącej młodości. I te sandały z szerokiego paska mocnej skóry nie są szczytem elegancji. Mogła przecież wystąpić jako dama, jako kobieta sukcesu, ktoś, kim te dziewczyny mają szansę się stać za parę lat, jeśli wykorzystają nadarzającą się im okazję, jeśli będą umiały sprzedać swoje atuty. A jednak odpuściła sobie. Dziś, a pewnie i jutro, jako reprezentantka głównego sponsora ma spędzić z tymi pytonami wiele, wiele godzin, bo chodzi o wybranie idealnej kandydatki do tytułu Miss Gracja, dziewczyny, która zostanie włączona w projekt promocji Fan Cosmetics, a odpuściła. Może wiedziała, że mnie tu spotka?

Znów staram się skupić na dziewczynach, trzeba zamknąć wreszcie kolejność pierwszej dziesiątki. Po trzech zdecydowanych liderkach peleton jest w miarę wyrównany: każda ma jakiś feler, który owszem, da się zamaskować przy odpowiednim ubiorze, świetle i makijażu, ale konkurs obejmuje wiele przebieranek –

suknie ślubne, wieczorowe, ubiór biznesowy, strój sportowy i plażowy, więc raczej nie ma szans na ukrycie błędów sylwetki czy skaz urody. Sprawdzam jednak jeszcze raz listę, żeby żadnej nie skrzywdzić, tym bardziej że czekają mnie rozmowy kwalifikacyjne z nimi, i wreszcie sejwuję dokument.

Biorę oddech. Zerkam na Moni. Zwrócona tyłem do mnie eksponuje lekko wygiętą linię pleców, jakby narysowaną cienkim piórkiem. Kształt delikatnej główki, miękką kreską kreśloną szyję. Łapię się na tym, że w tym wnętrzu pełnym młodych świeżych ciał rozpoczynających dopiero swoje sypialniane wędrówki, swoją przygodę z miłością, gdy słyszę rytmiczny dźwięk nowomodnych utworów, widzę roznegliżowane wypielęgnowane dziewczyny, obchodzi mnie tylko jedna kobieta: moja rówieśniczka, poszarzała, wykończona własnymi błędami i nienawiścią świata – Monika. Patrzę ukradkiem na jej stopę, widzę wystające nieznacznie spod przykurzonego brązowego skórzanego paska sandała pomalowane paznokcie i czuję, że liczy się tylko ona. Erotyczna energia, która w żaden sposób nie wydzielała się, gdy paradowały przede mną i wyginały, prężyły i strzelały oczyma te młode pytony, nagle zaczyna rządzić całym moim ciałem. Czuję, jak opuszki palców robią mi się zimne, jak krew z mózgu odpływa w kierunku podbrzusza. Patrzę na nogi Moniki, odciskające się pod lnianymi portkami, skrycie taksuję wzrokiem jej rozpłaszczone na fotelu uda i cała chemia zablokowana przez tyle lat, nieistniejąca, wydawałoby się bez szans na ujawnienie się, zaczyna działać. Powracają wspomnienia wszystkich okazji, jakie stwarzała przez tyle lat kuszenia. Nie ma kłopotu. Znam przecież kształt jej ciała, znam grymas rozkoszy i złości na jej twarzy, widziałem łzy i śmiech, wszystko to kierowane ku mnie, milczącemu, niememu, ku zimnemu skamieniałemu sercu. Wolno podnoszę wzrok. Widzę wyraźnie zarys jej zmęczonych na pewno już po tylu latach piersi, widzę wystające obojczyki i wiem jedno: ze wszystkich piersi dostępnych na tej sali, ze wszystkich tyłków znajdujących się w zasięgu mojego spojrzenia, ze wszystkich wzgórków łonowych wirujących w okolicy pragnę tylko tych. Wpadam w jakąś paranoiczną ekstazę, próbuję mówić sobie: stary, przecież mogłeś to zrobić tyle lat temu, gdy wszystko było świeżutkie, pierwszej klasy, człowieku, opanuj się, upadać w tak późnym wieku... A jednak wiem, że jeśli Moni uczyni jakikolwiek krok w kierunku zbliżenia, to dzisiaj się to stanie. Nieodwołalnie. I wiem, że nie będzie musiała robić nawet pierwszego kroku. Jestem gotowy. Cholera, strasznie się nagrzałem, gdyby dała znak, moglibyśmy wyjść i zrobić to od razu...

Pani Renatka klaszcze w dłonie i krzyczy swoim zachrypniętym głosem:

– W porządku, dziewczyny, przerwa. Na obiadek.

Podchodzi do mojego stolika, wstaję i przechwytuję wyciągniętą do pocałunku upierścienioną bardzo drobną dłoń. Renatka nadstawia jeszcze przywiędnięte policzki, no bo rzeczywiście – jesteśmy przecież branżą, a there's no business like show business. Całuję je symbolicznie, cmokając w powietrze, jakbym sam miał na ustach szminkę.

– O, jak ładnie pachniemy – miauczy – co to za zapach?

– Dune dla mężczyzn.

– Bardzo sympatyczne.

– A pani, jak widzę, w doskonałym nastroju. Rozumiem, że te kłopoty z klubem już się skończyły...

– Tak, spłacono mnie.

Rozmawiam, ale szukam wzrokiem Moni. Na razie wstała i porządkuje swoje rzeczy. Może ociąga się, czekając na mnie?

– Pani Reniu, proszę wybaczyć, muszę teraz pogadać pilnie z panią Moniką z Fan Cosmetics. To co, spotkamy się za chwilę w stołówce, dobrze? Bardzo jestem ciekaw pani spostrzeżeń.

– Pa – mówi Renatka i znów kocio mruży oczy.

Podchodzę do Moniki. Stoi ze zwieszonymi rękoma i spuszczonym wzrokiem. Wygląda tak biednie, że najchętniej bym ją przytulił i wszystko powiedział.

– Cześć, Moni, wspaniale cię tu spotkać.

– Witaj. Ty jak zwykle w świetnej formie.

– Dziękuję, nie jest najgorzej. A ty jeszcze przed wakacjami?

Fatalnie pudłuję. Monika zmieszana mówi:

– Nie, już po, to znaczy... – i zaczyna się jąkać, bo zdaje sobie sprawę, że cały jej wygląd świadczy o kolosalnym zmęczeniu, niemal wycieńczeniu organizmu.

Wie, że na nic tu się nie przyda tupet, że szarości jej cery nie zagada żaden zręczny dowcip.

- Wiem, że ci jest ciężko.

- Od kiedy to myślisz o mnie?

- Oj, Moni, przecież wiesz, że zawsze cię bardzo lubiłem i dobrze ci życzę, a że się rozjeżdżaliśmy w czasie, jeśli chodzi o inne sprawy... Zostajesz dziś na noc?

- Tak, muszę - i wzdycha, jakby naprawdę zabawa w konkurs piękności była ciężkim kawałkiem chleba.

- To pogadamy, dobra? Nocujesz tu w motelu, w ośrodku? Super. Ja teraz porozmawiam tylko z panią Renią o dzisiejszej próbie i potem byśmy się spotkali. Kupię jakiś koniaczek, dobra?

Odchodzę szybkim sprężystym krokiem, wiedząc, że wyglądam dobrze.

Technicznie nie ma jakichkolwiek przeszkód, abym mógł skonsumować ten związek. Wypoczęty po wakacjach, szczupły, wygimnastykowany, ostatnio naczytałem się wielu książek z dziedziny erotyki dalekowschodniej i ćwiczyłem nie tylko mięśnie dające się trenować hantlami, ale też ten cały słynny mięsień pubococcygeus. Przy pisuarach, w terenie, oddając mocz, rytmicznie kurczyłem i rozwierałem mięsień, regulując strumień moczu. Także moje wyniki w seksie małżeńskim były całkiem całkiem zadowalające. Pozostają tylko dwa kroki: prysznic oraz alkohol.

Flaszka martella ląduje błyskawicznie w mojej dwójce w motelu, okazuje się, że recepcja jest zaopatrzona także w takie dobra. Prycham pod prysznicem, czuję się jak młody bóg.

Przepasany białym ręcznikiem wychodzę z łazienki i stojąc na chłodnym, lekko zapiaszczonym linoleum, zerkam na siebie w lustrze w przedpokoju. Dzwoni telefon. Podbiegam zadowolony. Podnoszę seledynową peerelowską słuchawkę.

– Fra zachorował. Ma czterdzieści stopni i zaczynają się drgawki – mówi Małgosia.

– Kurwa mać!

Wszyscy faceci to chuje. Tak mogłaby opisać rzeczywistość każda chyba kobieta. Niestety, do tych chujów zaliczyć trzeba i mnie, więc zastępy aniołów stróżów, jakie muszą strzec naszego małżeństwa, są doprawdy przeogromne. Nie ma takich doświadczeń, żeby nie starczyło mojej łaski – mówił jakoś tak Pan Bóg człowiekowi, a ja mógłbym to strawestować i rzec: nie masz takich pokus, żeby Małgosia nie wymodliła zesłania na mnie jakiegoś anioła stróża z mieczem ognistym.

Ubieram się szybko, naciągam spodnie na wilgotne jeszcze nogi, trzęsącymi się rękami zapinam guziki koszuli. Fra chory. Czy to kara za moje pożądanie, czy ostrzeżenie? Cholera wie, a może po prostu anielskie wyciągnięcie mnie z tej sytuacji. Wkładam adidasy i czuję, jak stygnę, jak całe moje pożądanie zaczyna jawić się we właściwych barwach durnego grzechu, postępku płynącego z pychy, czuję, jak całe to moje skurwysyństwem podszyte niby to współczucie dla Moniki zyskuje właściwą nazwę: pycha i lubieżność.

Drżąc, wiążę pospiesznie sznurówki.

Pan Bóg uderza celnie. Nie jakiś inny dzieciak, tylko Fra. Nasz ozdrowieniec. Moja miniaturka. Dzieciak, którego ocalenie wymodliliśmy, który rósł w Małgosi unoszony na naszych modlitwach.

jesień 1994

Ten dzień, kiedy Małgonia zapłakana wróciła z badań i powiedziała, że najpewniej nasze dziecko będzie miało wodogłowie. To znaczy, trzeba się przygotować na taką ewentualność.

Mój bunt, moje przerażenie wtedy. Czym? Że nie zniosę swoich zdeformowanych rysów w potwornej głowie dziecięcia, które ma się narodzić. Że jest to próba za silna, która mnie zmiażdży. Przytulam Gosię, jest to czas czarnych rajstop z błyszczącymi nitkami i botków z lakierowanymi czubkami, przywiera do mnie, a ja w ogóle nie czuję żadnego dreszczyku. Tylko strach, paniczny strach, że tej próbie nie podołam.

– Trzeba się pomodlić – mówię drewnianym głosem.

Idziemy do sypialni, klękamy na łóżku. Biorę duży oddech.

No tak, ale i modlitw się boję. Dlaczego? Bo nie chcę, nie chcę się godzić z tym, że zaakceptuję to kalectwo. Że powiem „fiat", „niech się stanie" na kalekie dziecko. Więc gdy czuję, że do mego serca zaczyna wlewać się siła pozwalająca na zniesienie trudnego losu, krzyczę w niebieskie przestrzenie:

– Nie! Panie Boże! Nie! Ja się nie modlę o wsparcie w tym nieszczęściu! Nie, ja tego nie zniosę, ja tego nie chcę znosić! Chcę mieć zdrowe dziecko!!

Po kilku dniach i ponownych badaniach USG, które potwierdzają niepokojące powiększenie główki dziecka, Małgosia załatwia u Joli – swojej koleżanki z liceum, że wpadniemy oboje na modlitwę wstawienniczą do ich wspólnoty Ruchu Odnowy. Jola, wyznaczając spotkanie, wyraźnie podkreśla, że zaprasza nas oboje, gdyż często kłopot tkwi w związku.

Siedzimy na korytarzu klasztoru ojców marianów, na ustawionych pod ścianą banalnych twardych krzesełkach – metal i gruba sklejka, jak w poczekalni u dentysty. A do tego jeszcze te oszczędnościowe świetlówki, które wyganiają wszelki nastrój z tych i tak nieciekawych niskich przestrzeni.

Wreszcie pomruki za dwuskrzydłowymi drzwiami ustają i wychodzi z nich zapłakana, wzruszona baba. Zasmarkana, zwyczajna, jak z kolejki z siatami. Czuję lekkie rozczarowanie. Myślałem, że wspólnoty Odnowy są jednak lekko ekskluzywne. Obecność baby w ortalionie zdecydowanie temu przeczy. Pokazuje się Jola i z przyklejonym do ust katolickim zawodowym uśmiechem zaprasza nas do środka. Chociaż... Małgosię to ona chyba lubi. W ogóle zawsze ludzie lubili jakoś Małgosię, litując się pewnie po części nad tym, że musi spędzać życie z takim mną. Trudno. Teraz niech wszystkie atuty, wszystkie sympatie ożyją: ja chcę mieć zdrowe dziecko!

– Jest świetnie – szepcze Jola – bo właśnie dzisiaj przyjechał Robert, a on jest prawdziwym specem od modlitwy wstawienniczej.

Dziwi mnie, że mówi o tym tak jakoś technicznie, jakby chodziło o zwykłą rzecz. W sali wielkości salonu na ziemi klęczy, siedzi na piętach i po turecku kilka młodych osób. Robert – ewidentny przewodnik stada, lider, wysoki, dobrze zbudowany, murowany kandydat na drużynowego albo trenera narciarskiego. Ciemne włosy, niebieskie oczy, ogorzała twarz. Takich nie lubię od pierwszego wejrzenia. Morowe chłopaki, które na obozach każą ci wstać o piątej rano i gimnastykować się, a w zimie rzucą w ciebie kulką tak, że będziesz miał siniaka przez dwa tygodnie. Jest mąż Joli – wybitnie nieudany osobnik: chudy i wysoki, z maleńką jak jakiś dinozaur główką osadzoną na chudej szyi, z niesymetryczną twarzą, w drucianych okularkach. Dalej smętne dziewczę o urodzie i wyglądzie oazowym: ubrana w wiele warstw, na cebulkę, w jakieś za luźne swetry, bluzy, długą śliwkową spódnicę, z koralikami na przegubach obu dłoni, niska, przeciętnej urody, pewnie po paru próbach samobójczych. Wreszcie mała Ania – chudziutka, z miłą twarzą, którą szpecą źle dobrane okulary, robiące z niej brzydką panią bibliotekarkę. Na dywanie leży gitara, jakieś śpiewniki, w środku kręgu pali się gruba świeca.

– To Gosia i Andrzej – mówi Jola, pokazując nam ręką, żebyśmy dołączyli do kręgu – właśnie czekają na czwarte dziecko...

Uśmiechamy się, witani życzliwymi spojrzeniami. No tak, kombinują sobie drodzy odnowiciele w Duchu Świętym – czwarte dziecko, czyli to nasi, katolicy, antykondomiści. Kiwamy głowami, przysiadamy się.

– Zresztą może sami powiedzcie, jaka jest wasza intencja.

Wzrokiem zwalam całą sprawę na Małgosię, choć nie za bardzo lubię, gdy występuje publicznie. Zaciskam zęby.

– Chcielibyśmy, żebyście pomodlili się za nasze dzieciątko. Badania wykazały, że ma nienaturalnie powiększoną główkę i grozi mu wodogłowie. Więc w tej intencji...

– O uzdrowienie naszego dzieciątka – podkreślam jakoś za głośno i agresywnie, szczególnie na tle cichej Małgosi. Bo chcę modlitwy o uzdrowienie. Nie chcę siły, żeby móc znieść kalekie dziecko.

Czuję na sobie zdziwiony, pytający wzrok odnowicieli, ale trudno, wytrzymam. Panie Boże, błagam, nie wystawiaj mnie na taką próbę, ja naprawdę chcę mieć po prostu zdrowe dziecko. Czwarte zdrowe dziecko. Jestem wielodzietniakiem, przyjmuję dar życia, niech to wystarczy, nie doświadczaj mnie kalectwem...

Wstajemy. Odnowiciele gromadzą się wokół Małgosi, Robert kładzie dłonie na jej lekko tylko zarysowującym się brzuchu.

– Andrzeju, obejmij Gosię – mówi Jola.

Staję jakoś niezręcznie, sztywno, nienaturalnie. Lekko z tyłu, w całkiem niepotrzebnym dystansie, nie przytulam się, tylko w dziwnym geście otaczam ręką moją żonę, moją dzieci rodzicielkę. Jakbym się bał, że promienie modlitwy niczym rentgen prześwietlą i mnie.

- Panie Jezu, który wskrzesiłeś Łazarza - zaczyna modlitwę Robert, ma przyjemny niski głos - prosimy Ciebie, ulituj się nad swoim dzieciątkiem i uzdrów je. - Robi pauzę.

Patrzę spod przymrużonych powiek i widzę, że odnowiciele zaczynają się skupiać, z zamkniętymi oczami szepczą pod nosem modlitwy albo coś mamroczą do siebie. Robert znów podejmuje:

- Panie Jezu, powiedziałeś, że gdziekolwiek spotka się dwóch czy trzech w Twoje imię, Ty będziesz pośród nich. Jesteś pośród nas. Ty jesteś pośród nas. Przez moje dłonie daj uzdrowienie temu dziecku.

Czuję, że Małgonią wstrząsają delikatne dreszcze. Odnowiciele dalej mamroczą swoje modlitwy.

- Panie Jezu. W Twoim imieniu jest życie. Panie Jezu.

Robert zamyka oczy i dołącza do mamroczących. Nie odrywa rąk od brzucha Małgosi. Szmer szeptów i pomruków raz rośnie, potem znów cichnie, czasem na powierzchnię wydobywają się poszczególne słowa. Alleluja. Przyjdź. Jezu, ufam Tobie. Wychwytuję też, ja, niepoprawny hobbista i poszukiwacz sensacji, zaczątki ich modlitwy językami. Ania artykułuje jakieś teksty w zdecydowanie obcym narzeczu. Wtem oazowa dziewuszka mówi na głos, jakby nieświadoma wyciszenia innych:

– Jezus. – I powtarza jeszcze głośniej, miłosnym tonem, w którym jest wszystko: uwielbienie, całkowite oddanie służebnicy, niewolnicy, ufność i wspaniała niebieska radość: – Jezus!

Małgosia – czuję jej drżenie – płacze.

Robert mówi:

– Amen.

I wszyscy powtarzają to amen, które brzmi jakoś tak banalnie jak rutynowa odzywka w czasie mszy świętej. Amen – po prostu skwitowanie tego, że się modliliśmy, że wypowiedzieliśmy zadane rytuałem formułki. Odnowiciele wracają do codzienności. I jak gapie, jak jacyś przechodnie pytają Małgosię, moją łkającą teraz Małgosię:

– I co, czułaś coś?

– Jak było?

Przytulam wreszcie Gosię od tyłu, przywieram do niej, chcę ją osłonić od tych głupich pytań, wstydzę się jej wzruszenia i łez, ale ona odpowiada miękkim głosem:

– Tak, czułam, takie jakieś ciepło, jakiś taki prąd – zwraca na mnie zapłakane oczy, a ja widzę mieszkające w nich niebo i pewność, że wszystko zadziałało.

– Oj, to wspaniale – zachwyca się bardzo po świecku oazowa dziewczyna, jakby nie pamiętała, że przed chwilą zafundowała nam ekstazę, którą będę pamiętał do końca życia. Patrzę na jej zniszczone, niefirmowe adidasy, na fatalną, chyba zakurzoną spódnicę. Całuje Małgosię w policzek, a Jola mówi do nas:

- Widzicie, wszystko będzie dobrze, Pan nas wysłuchał - i dodaje jakby z innego porządku: - Alleluja.

- Alleluja - powtarza jej nieefektowny mąż.

Potem jeszcze jest modlitwa na zakończenie, wreszcie szukanie wspólnych znajomych z Robertem i zwierzenia oazówy, że miała trudne dzieciństwo, ale to wszystko odbywa się już bardzo normalnie, jak na jakiejś wolno rozkręcającej się imprezie.

Fra, który urodził się oczywiście zdrowy jak rydz, był cudownym ozdrowieńcem - owszem, dla mnie znakiem słabości czy może symbolem mojego nieprzygotowania na cierpienie. Ale przede wszystkim był znakiem cudu. Cudu uczynionego w imię Jezusa. W imię Jezus.

Uciekałem ze zgrupowania konkursu Miss z panicznymi modlitwami na ustach, z zapewnieniami, że już więcej nie będę, że rozpocznę nowy etap w moim związku z Małgosią, że odłożę poradniki seksu tantrycznego, że będę siedział w domu, czytał dzieciom książki, zmywał naczynia, no, jednym słowem przywoływałem katalog obietnic niby pijak na kacu, który chce udobruchać swoją małżonkę. Jak w tym dowcipie, co to wypadł facet z dziesiątego piętra i lecąc zaklina się: „Panie Boże, uratuj mnie, nie będę już pił, palił, zdradzał żony". Ląduje cudem na wozie z sianem, otrzepuje się i mówi: „Jakie to głupoty człowiek mówi w stresie..."

Fra wydobrzał dość szybko: przeziębienie było równie gwałtowne co krótkotrwałe, ale okazało się, że ta ingerencja nie upewniła aniołów o mojej cnocie.

Gdy rankami widzę modlącą się Małgosię, to czasami, zerkając na nią spod kołdry, zastanawiam się, jak ona to załatwia: owszem, obmadla każde dziecko z osobna, widzę to po jej zmiennych uśmiechach, ale co się dzieje, gdy przechodzi do mojej podłej osóbki? Nigdy nie zwierzam się jej z erotycznych ciągotek, fascynacje innymi kobietami jako żywo pozostają moim własnym, tajnym światem, który nie wyziera na zewnątrz, więc jak Gosia załatwia te anioły? Czy są zsyłane z rozdzielnika, czy może, gdy widzi w moich oczach podejrzane błyski, gdy wyczuwa roztargnienie w czasie nocnych igraszek, kumuluje jakoś swój wysiłek i błaga Boga o wsparcie... Nie wiem. W każdym razie anioł, którego zesłała na mnie po przygodzie na zgrupowaniu Miss, był potężny.

Swoim mieczem ognistym uderzył w samo jądro mojego zepsucia, w sam korzeń zła, w samo narzędzie grzechu. I oto pewnej nocy, gdy kochając się z Małgosią, miłowałem w niej wszystkie napotkane ładne kobiety, wszystkie asystentki, które zgodnie z niepisanymi regułami show-biznesu powinienem rżnąć na jawie, wszystkie ponętne sąsiadki, które dały mi najdrobniejszy znak, że byłbym fajnym gościem w ich świecie, po szalonej nocy, gdy opadłem zmęczony na poduszki, poczułem, że ten mój po wielokroć poddawany ćwiczeniom Kegla mięsień siusiakowy jest zmęczony ponad miarę. Uwierało mnie tam, czułem wyraźną ścieżkę bólu prowadzącą w tył, jakbym był podpasany od członka aż do odbytu. Ból nie ustępował, był niczym zakwasy, jakie się ma w mięśniach po ciężkiej pracy bez rozgrzewki. Próbowałem zlekceważyć to dziwne odczucie, sądząc, że tak może właśnie hartuje się stal, że trening czyni mistrza i to po prostu – jak kwas mlekowy w mięśniach, przejdzie po krótkim czasie.

Ale nie przechodziło. I pierwsza wizyta w toalecie upewniła mnie, że coś jest nie tak. Ha, tylko facet wie, jaka jest radość z mocnego, prawdziwego odpryskania się, odlania, wyjulania, gdy wszystko działa jak należy, gdy strumień moczu wali, że spokojnie przebiłby gazetę. Tak, najlepiej oczywiście praktykować to z kumplami, w plenerze, po paru piwach. Gdy odlewaniu się towarzyszy jeszcze mocne pierdnięcie. „Żart! Nie szamać" – mówi jeden z grupki. Drugi beka. Wszyscy jesteśmy szczęśliwi, tym szczęściem zdrowych, bezmyślnych silnych byczków. Nie ma jak w krzakach: stojąc w szeregu, na lekko rozstawionych nogach, jakby zaparci w ziemię. Mocz nie odbija się od porcelitowych powierzchni pisuarów czy kibli, tylko mocnym, zdrowym, wielkim strumieniem wali w glebę, żłobiąc w niej koleiny.

Ktoś znowu beka, inny już strząsa wacka, żeby schować go do rozporka. Każdy pamięta mądrościową sentencję o kropelkach moczu: „Choćbyś machał trzy tygodnie, i tak kropla spadnie w spodnie".

I nagle w naszej wypieszczonej błękitno-granatowej toalecie ze strachem poczułem, że choć się staram, nie mogę nadać strumieniowi moczu tej radosnej mocy, że to wszystko, co trzymam w dłoniach, jest zwiotczałe, nienapięte, starcze. Że ten trenowany przeze mnie mięsień pubococcygeus, który miał mnie doprowadzić do wielogodzinnych bezwytryskowych stosunków, który miał pozwolić mi na oszczędzanie energii jin czy jang, działa na jakieś trzydzieści procent.

Widać nieufny aniołek, nie wierząc w moje kajanie się, w obietnice poprawy, w zaklęcia, przeprowadził uderzenie prewencyjne. I jego selektywny atak powietrzny w pełni się powiódł. Doskonały zwiad, rozpoznanie i precyzyjny, naprowadzony laserem strzał. Nie ma co.

Nadeszły miesiące choroby. Kompromitujące wizyty u różnych urologów. Pan doktor – każdy z nich wyglądał dziwnie, każdy na swój sposób dziwnie – uzbrojony w gumowe, nasmarowane oliwką rękawiczki, najpierw oglądał sobie mojego siurka zwiotczałego ze strachu i wstydu jeszcze bardziej niż zwykle, odciągał skórkę napletka, zerkał w oczko, mrucząc coś pod nosem. Ważył kurczące się z lęku jajeczka w rękach, sprawdzał palcami łączące je przewody. A potem było zawsze to samo.

– Proszę stanąć tyłem i oprzeć się rękami o kozetkę.

Robię lekki, malutki skłon. Opieram się o leżankę pokrytą zielonkawą flizeliną.

– Nie napinać pośladków, nie napinać!

Akcja staje się nagle gwałtowna jak sekwencje z wykonywania wyroku śmierci. Doktor, będący narzędziem zemsty, ładuje mi palec w odbyt. Przecwela paluchem! Powinien jeszcze mówić: „Ja ci, kurwa, dam, jin – jang!”

Wiercąc brutalnie w zadzie, winien szydzić: „I jak te twoje wielogodzinne orgazmy bez wytrysku?"

Ale i bez tego doskonale wiem, za co jestem karany, i nie buntuję się specjalnie. Z tym, że faktycznie energia jin czy jang ze mnie uszła. Przeżywam prawdziwe męki, bo choroba nie ogranicza swoich tortur do obszaru toalety. Nie tylko w ubikacji odczuwam ten koszmar zwiotczałości. O nie, wręcz przeciwnie, w robocie, na planie, w studiu, wciąż czuję, że z moim korzeniem jest kiepsko. Po prostu niewygodnie, że najchętniej leżałbym skulony i drzemał. Całe tygodnie upewniają mnie w słuszności Hemingwayowego stwierdzenia, że tworzy się jajami. No i że z chorymi jajami to raczej nic specjalnego zrobić nie można.

A to wieczne poprawianie sisiora w spodniach, jakaś głupia nadzieja, że wystarczy przełożyć go w gaciach, i wszystko będzie dobrze albo przynajmniej lepiej?

Całe miesiące ciągnie się ta „infekcja dróg moczowo-płciowych", wykańczając mnie i psychicznie, i fizycznie. Skatowany tym dyskomfortem w gaciach zaczynam zdawać sobie sprawę, że wokół może być mnóstwo gości mających jakiegoś wewnętrznego robala. I że te tępole, których ganiam na planie, ci ludzie bez grama błyskotliwości, te ospałe ciołki – to zapewne reprezentanci chorego świata. A skoro tak, tym bardziej chcę się z niego wyrwać i wypisać. Biegam do różnych lekarzy, przełamuję wstyd, siedząc w poczekalniach przed absolutnie nieszczelnymi akustycznie drzwiami i popatrując na oczekujących w kolejce, świadom, że za chwilę będą mieli niezłą audycję w moim wykonaniu. Daję sobie smarować podbrzusze jakimiś mazidłami, żeby USG ustaliło, jak bardzo mam już wszystko zdefektowane i zwapniałe. Lekarze straszą bezpłodnością, mówiąc: „A, okay, skoro pan ma czwóreczkę, to wystarczy", każą robić badania nasienia...

Najzabawniejsze w tym wszystkim, że mimo tego zamieszania nie cierpi na tym specjalnie nasz rodzinny seks. Tak jakby Małgosina klątwa była rzeczywiście selektywna i mój sisior nadal miał misję uszczęśliwiania wiernej mi małżonki. Katowany za dnia, upokarzany w gabinetach lekarskich, nocą sprawuje się całkiem nieźle. Wtedy to, w świadomości zagrożenia bezpłodnością, gdy sądzimy, że to już kres naszego radosnego rozmnażania się i czekamy na wyniki kolejnej analizy nasienia, zostaje poczęta Ania.

Małgosia oczywiście wiedziała, że załapałem jakąś infekcję, i widziała, jak się z tym męczę. No, ale przecież całego anielskiego tropu jej nie zdradzałem, bo jestem w końcu facetem. Trudno, skoro piętnaście lat temu we wspaniałym barokowym kościele, przed złocącym się przepysznie ołtarzem, przewiązany kapłańską stułą wypowiedziałem słowa małżeńskiej przysięgi, skoro traktuję tę przysięgę serio, to muszę godzić się na takie edukacyjne ingerencje niebios. Niuejdżowcy znaleźliby na to pewnie swoje nowomodne wytłumaczenie, że moja koncentracja uwagi na mięśniu pubococcygeus oraz rozwinięte po katolicku poczucie winy zaowocowało katastrofą. I gdybym sobie odpuścił te religijne skrupuły, gdybym wyluzował, nie doszłoby do żadnej zdrowotnej katastrofy. No i co wtedy, drodzy niuejdżowcy? Bzykałbym panienki, porozwalał parę małżeństw i przy okazji swoje, i niepoblokowany stoczyłbym się do waszego zakłamanego nieba. No nie, to ja dziękuję, to ja właśnie chcę serio traktować swoją przysięgę małżeńską i trudno, akceptuję wszystkie napuszczane przez Małgosię anioły. Nawet te ze straszną bronią biologiczną. Nawet te, co walą w jaja. Ja wiem za co.

Rower to przedmiot, który kojarzy mi się z seksem. Nie, nie dlatego, że w mojej wyobraźni zamieszkała jakaś dziewczyna super, w przezroczystej pelerynce zawzięcie pedałująca po rowerowych ścieżkach.

Nie mam też jakichś szczególnych wspomnień z Holandii, gdzie z godnością posuwają po alejkach wzdłuż kanałów starsze i młodsze kandydatki do mentalnego skonsumowania.

W ogóle nie chodzi o kobiety. Owszem, mijam sporo fajnych pedałujących dziewuch, gdy jeżdżę swoim rowerem górskim po Ursynowie i okolicach, ale przecież bardziej niż one, które migają mi tylko przed oczyma, działają na mnie parki całujące się na ławkach. Kiedy jestem w świetnym humorze, a zdarza mi się to na rowerowych wycieczkach dość często, mijając te parki, jęczę z rozkoszy czasem tak głośno, że niestety im przeszkadzam, ale nie da rady, wprawia mnie to w małpią wesołość, nie mogę się powstrzymać.

Tym, co w moim niezrównoważonym umyśle łączy seks z rowerem, nie jest także postać Lance'a Armstronga. Gość parokrotnie wygrał Tour de France, a wcześniej cierpiał na raka – czy nie jąder aby, a może prostaty – i poddał się chemioterapii, która wykończyła mu także plemniki. Tych jednak sporą ilość zamroził sobie na lepsze czasy i chyba teraz, popuszczając nieco, funduje sobie dzieciaka za dzieciakiem. Nie, to też nie to. Chociaż... ciepło, ciepło, można powiedzieć.

Otóż po wielu peregrynacjach udało mi się dotrzeć do doktora Dutkiewicza. Facet wyglądał bardzo solidnie, choć najpierw wpadłem w panikę, bo zdał mi się kimś znajomym. No i duża nerwioza, myślę sobie: pewnie to jakiś kumpel kumpla i zaraz cały świat się dowie, że Andrzejek ma coś nie tak z siusiakiem. Oczywiście nie przeżyłbym takiej hańby, a wszyscy moi wrogowie, ci, co zadają sobie pytanie, dlaczego nie zdradzam żony, otrzymaliby klarowną odpowiedź, która wypowiadana przez krztuszących się ze śmiechu kolesi rozchodziłaby się szerokim łukiem.

Doktor Dutkiewicz jednak nie okazał się kumplem kumpli, tylko przypominał nieco Roberta Redforda, z takimi poprawkami, że był grubszy, miał wyraźnie alergiczną, jakby albinosowatą cerę, no i znał się na medycynie. Zapisał mi wreszcie środki, które zaczęły działać i dość skutecznie zmniejszyły dolegliwości. Może to była zresztą kwestia przypadku, przy tego rodzaju infekcjach leczenie jest trochę waleniem na oślep – jeden lek może zadziałać, drugi, zachodni i opatrzony wszelkimi możliwymi certyfikatami, może być totalnym pudłem. Te od Dutkiewicza zadziałały.

W moje serce, i nie tylko w serce, wlała się otucha. Mentalnie zrypany, kompletnie zdołowany, zniszczony wielotygodniową chorobą, stwierdziłem nagle, że chcę wyjść na rower. Wyciągnąłem z piwnicy mojego rekorda dziesięć - mieszkaliśmy jeszcze wtedy na Mokotowie. I tym zakurzonym gratem, z odklejającą się taśmą na kierownicy, z wiecznie zgrzytającymi i wchodzącymi nie tak przerzutkami czeskiej firmy Favorit, wybrałem się na samotną przejażdżkę po osiedlu. Była jesień, zapadał zmrok, rozmokłe liście na chodniku groziły poślizgiem, a ja nie wiedzieć czemu wmówiłem sobie, że ten ucisk na jaja, jaki powoduje siodełko rowerowe, pomoże w utrzymaniu się tam dobrego stanu, że takie spięcie mięśni sprzyja kuracji. Jeździłem, nie dopuszczając nawet myśli o tym, że może się coś pogorszyć. Podjechałem do kościoła, odwiedziłem boisko szkolne, zawracałem, potem znów mknąłem żwirówką wzdłuż Pól Mokotowskich. A gdy cały spocony zbliżyłem się do domu, w naszym oknie zobaczyłem Małgosię, jak rozsunąwszy trochę firanki patrzy na mnie. I dostrzegłem w jej oczach łzy szczęścia.

Nie wiedziała przecież, że to jej modlitwom zawdzięczałem ten straszny stan swojego podbrzusza, ale ja wiedziałem i uśmiechnąłem się także, bo teraz byłem już pewien, że jej westchnienia do Pana Boga bardzo szybko przywrócą mnie światu zdrowych.

Westchnąłem głęboko, pomachałem jej ręką, znów zazgrzytała przerzutka, nie chcąc przełączyć się na większy tryb z tyłu, przytrzymałem manetkę, aż wreszcie z potwornym chrzęstem zaskoczyła. Zrobiłem jeszcze jedno kółko obok boiska do gry w kwadraty i pomyślałem sobie, znów mocując się z czeską przerzutką o dumnej nazwie Warszawa-Praga-Berlin, że z seksem jest tak jak z tymi rowerami – to nigdy nie będzie doskonałe, zawsze będzie coś tam zgrzytać, pikać i szwankować, ale trzeba się starać, a wtedy wycieczki rowerowe i jazda mają sens. I trzeba to robić pomalutku, spokojnie, w rodzinach, które umówiły się na nierozerwalność, które umówiły się, że będą trenować do skutku.

Zachwycony tą metaforą wróciłem do domu, gdzie czekała Małgonia.

Kilka lat później polski rynek zdobyły rowery górskie. Szuwar protestował przeciw nim, bo wyczytał we wstępie do jakiejś uczonej książki, że górale to świetny przykład sztucznie rozbudzanego popytu. Sarkał więc, stroszył się, gniewał na zły świat konsumeryzmu. A ja, nie bacząc na to, kupiłem treka.

Dosiadam go i widzę, że doskonale wyregulowany osprzęt Shimano, poddawany regularnym przeglądom, działa jak zegarek. Że czas przynosi coraz lepsze rezultaty. Pedałuję zawzięcie po Ursynowie. Grube, tłuste koła prowadzą mój wehikuł po wyłożonych czerwoną kostką trasach rowerowych, które przykryły wertepy, gdzie jeszcze piętnaście lat temu w deszczu i wietrze biegłem z ulotkami zakochany w idei solidarności i niepodległej Polski.

Pedałuję, czuję, jak dobrze funkcjonuje mój organizm, jak sprawnie pracują mięśnie nóg. Mijają mnie wariaci w goglach i kaskach, zgredzi na składakach, palanty w elastycznych portkach, całe rodziny terroryzowane przez ojca sportsmena, dojrzewające dziewuszki, które z przodu okazują się przekwitłymi damami. Jadę, rozkoszując się pędem, rozkoszując się swoją sprawnością. I tylko w pewnym momencie nagłe zacięcie się największego trybu napełnia mnie niepowstrzymanym chichotem...

godzina 16.05

Przecinam Nowy Świat i parkuję naprzeciw ponurego gmachu liceum. Nie pamiętam jego nazwy, ale coś mi świta, że to jedno z lepszych. Może Dąbrowskiego?

Wrzucam pieniądze do parkometru, nabijając kabzę jakimś lepszym przekręciarzom. Każdą monetę znikającą w zgrzytliwym automacie żegnam słowami: pozdrówcie Wojtusia. To mój kumpel ze szkoły, zasiadający teraz we władzach Warszawy, więc pewnie z każdej złotówki wrzuconej do parkometru jeden grosik ląduje w jego kieszeni. Pa pa, pieniążki.

Wyciągam bilet, który - naelektryzowany czy co - nie chce wcale wyleźć i trzeba go zmiąć, żeby dał się wysunąć.

Zaczyna się wiosna i światło ma wkurzającą właściwość wyciągania z ludzkich twarzy całego zimowego zmęczenia. Maszeruję Nowym Światem wśród malutkich pryzm ni to nie stopionego jeszcze do końca śniegu, ni szarawego jak żużel błota, czterdziestoletni narcyz, cierpiący, gdyż wie, że wygląda nieco nieświeżo. Niezła paranoja, żeby nosząc w sobie nowotwór, troszczyć się o wygląd... No, zdarza się.

Ulicę zamyka widok potężnych dźwigów pracujących przy rozbiórce gmachu cenzury: cała rzeczywistość maźnięta jest pędzlem alegorii. Co krok alegoria. Mijam sklep z eleganckimi piórami wiecznymi. Ponura, niedoświetlona wystawa z eksponatami jak na katafalkach. No i oczywiście przychodzi wspomnienie pogrzebu stryja sprzed paru miesięcy zaledwie.

Ohydna wielofunkcyjna kaplica: betonowy sześcian, gdzie można i postawić krzyżyk, i równie szybko go usunąć. Pas transmisyjny wyrzucający zwłoki z naszego świata. Bezbarwnie, ale za to sprawnie. Tak, w tych kwestiach liczy się sprawność i powściągliwość, żeby nie zostawiać pauz na wybuchy rozpaczy. Każdy ma swoją rolę, każda minuta jest zaplanowana, żeby rutyna przesłoniła to, co dzieje się naprawdę, gdy wydajemy na pastwę robali i ziemi ciała naszych bliskich, te rozkładające się galarety utrzymywane ostatkiem sił przez martwą skórę. Pan potrzyma wieniec, pan poprawi szarfę i jakoś się dobrnie.

Zimne zwłoki stryja, o konstystencji przypominającej pewnie stary budyń z kożuchem skóry skrywającym półpłynne wnętrze, pradawnym zwyczajem wystawione są na widok publiczny. To chyba jedyna prośba stryjenki uhonorowana przez dzieci. Więc stryj straszy wszystkich swoją woskową twarzą z wyolbrzymionym nagle nochalem i rękami jak u pokrytej byle jaką żółtą farbą rzeźby z zapyziałego prowincjonalnego kościółka. Różaniec splatający palce i sterczący pomięty święty obrazek stanowią jedyne elementy, na których można zatrzymać wzrok. Całość krzyczy, że to już koniec, że tu już nie ma żadnego życia, tylko rozkładające się zwłoki. Wytężam wzrok, aby rozpoznać, jakiż to oleodruk towarzyszyć będzie stryjowi w trumnie, ale nie jestem w stanie z tej odległości czegokolwiek dostrzec.

Stryjenka stoi przy trumnie przez całe pospiesznie i bezosobowo odprawiane nabożeństwo. W straszliwym chłodzie bijącym od posadzki i ścian, utrzymywanym chyba celowo, by eliminować jakikolwiek zapach, zmarznięci czekamy, żeby czym prędzej wyjść, zasypać trumnę ziemią i pojechać stąd, najeść się, napić, odetchnąć świeżym powietrzem.

I to za chwilę się zdarzy, zgrzytliwa taśma przewiezie trumnę na elektryczny wózek i potowarzyszymy zmechanizowanemu pozbywaniu się ciała.

Ksiądz wyszedł, żeby przebrać się w płaszcz pogrzebowy i dobudzić kościelnego, który będzie fałszował razem z nim w czasie przejazdu meleksem, więc stoimy i gapimy się: trumna, stryjenka i przycupnięci gdzieś z boku długoręcy menelowaci grabarze z potężnymi czerwonymi dłońmi, ubrani w ciemnogranatowe uniformy.

Stryjenka, która przeżyła razem z mężem pewnie ze sześćdziesiąt lat, czułym gestem wygładza mu, jego zwłokom, rękaw i splata ręce w modlitwie. Po chwili jednak, niepoprawna, znów sięga do trumny, żeby tym razem otulić szyję, jak dziecku przed wyjściem na sanki, żeby nie było zimno, żeby nie zawiało. Nie powraca już do modlitewnej postawy, tylko znów kieruje troskliwą uwagę w stronę jego dłoni. Teraz gładzi palce u rąk i lekko je masuje, jakby chciała rozgrzać. Robi krok do przodu i przechodzi do twarzy. Muska ją palcami, gładzi. Czyni to powoli, jak skazaniec palący ostatniego papierosa, który pragnie tym paleniem oddalić godzinę egzekucji. A jednocześnie nie ma w tym nic z mechanicznego zachowania. Jest sama czułość i troska. Namaszcza swego męża, przygotowuje na drogę. Te gesty, te prawie pieszczoty starych, zmęczonych reumatyzmem dłoni, wyrażają wszystko: onieśmielenie barierą, jaka nagle między nimi wyrosła, świadomość - niczym u narzeczonych trwających w czystości - że na więcej pozwolić sobie nie mogą, i jednocześnie obietnicę pełnego spotkania i spełnienia już wkrótce.

Przygotowuje swojego męża na drogę przez ciemne, zimne, wilgotne korytarze, dodaje mu otuchy i szepcze jakby, że wkrótce znów się połączą.

Więc w tym jest sens. I zbliżając się do lecznicy po wyrok, idąc Nowym Światem, który wygląda teraz w tym dziwnym świetle niskiego wiosennego słońca niczym tekturowa dekoracja jakiejś gry planszowej, łapię się na tym, że tak, że może na tym polegają te zawody, żeby na przekór światu, na przekór billboardom z gołymi panienkami jakoś się jednak dotoczyć do tego momentu i wpłynąć w mroczne korytarze, mając błogosławieństwo swojej kobiety. Jedynej kobiety.

Lecznica na Ordynackiej to połączenie peerelu ze zgrzebnym kapitalizmem. Ciasne klatki schodowe, korytarze i gabinety obłożono tandetnymi wykładzinami, wsadzono trochę plastikowo-aluminiowej stolarki i nasycono to elektroniką. Ale gdzieś w zakamarkach unosi się jeszcze duch dawnej Ordynackiej, najlepszej prywatnej przychodni w mieście, gdzie obok kurew i złotej młodzieży leczących choroby weneryczne w poczekalniach zasiadali ludzie przekonani o cudownych właściwościach tego czy innego docenta bądź profesora. Ordynacka to był szczyt możliwości. Ostatnie rodzinne pieniądze poświęcano na wizytę tutaj, żeby ratować życie najbliższych. Blichtr obok wielkich ludzkich dramatów.

Lubiłem to miejsce. Może odezwało się we mnie wspomnienie legendarnych cudownych uzdrowień z czasów głębokiej komuny, kiedy to wyśmienity przedwojenny lekarz ze Lwowa zapisał kogoś na operację u siebie na oddziale, wie pani, ile to kosztowało, ale przecież warto było. Tak, chyba zadziałała tu podświadomość.

Profesor Popławska to starowinka. Przygarbiona, siwa i ptasia. Trochę mnie to mrozi. Najpierw nie może wyciągnąć okularów z torebki: jej pokryte wątrobianymi plamami dłonie trzęsą się nieskoordynowane, wyrzucając jakieś rachunki i chusteczki. Kompletny Monty Python. Nie wiem, wkurzony, czy podziękować i wyjść, czy pomóc jej. Jak taka staruszka ma mnie z czegokolwiek wyleczyć? Jak zdiagnozuje mojego raka?

Ale potem jakoś idzie. Jeszcze to moje kretyńskie zadowolenie, gdy pani profesor po pytaniu o wiek odrywa wzrok od karty, którą mi właśnie zakłada, i mówi:

– O, a nie wygląda pan na tyle.

Radocha, prawda, będę umierał, młodo wyglądając. Kompletna żenada.

Roztargniona słucha mojej opowieści o niewygodzie i bulgotach w brzuchu, każe zdjąć koszulę, położyć się na kozetce i z jakąś dziwną siłą, nie zważając na mnie, mocno uciska na brzuch. Jej palce niczym dłonie koreańskiego czy polinezyjskiego cudotwórcy bez przeszkód zagłębiają się w moje brzucho, z wprawą obmacując wewnętrzne korytarze.

– Proszę się ubierać – rzuca zmęczonym głosem.

– Co mi jest?

– A czy pan ostatnio jada coś szczególnego?

– No – mówię – odżywiam się zgodnie z moją grupą krwi. Odłożyłem prawie mięso, jem dużo ryb i roślin strączkowych...

– To się zgadza. Widzi pan, tutaj, w okrężnicy, gromadzą się panu gazy, stąd te bulgoty i wrażenie, jakby coś się tam przelewało. – Trzęsącymi się rękami wypisuje recepty i mówi: – Proszę to brać według wskazówek, tu na wszelki wypadek panu zapisałam, ale tego niech pan jeszcze nie kupuje, powinno bardzo szybko minąć, aha, i żadnych gazowanych napojów, proszę też raczej odłożyć soki owocowe i przejść na wodę. Tylko bez bąbelków. I o tych bzdurach z dietami też niech pan raczej zapomni. A już w szczególności o fasoli.

– Czyli, pani profesor, to nie jest żaden nowotwór?

Patrzy na mnie, schyliwszy głowę, znad okularów jak na idiotę, histeryka, głąba, francuskiego pieska.

godzina 16.55

Lekarstwo doktor Popławskiej działa! Popycham wózek po ursynowskim supermarkecie, popierduję i jestem szczęśliwy. Nie mam raka! – delikatny pierd. Nie mam raka! – trochę cięższy kaliber.

To, co brałem już za końcówę, okazało się zwykłym zgromadzeniem gazów, na co pomaga zażyta właśnie podwójna porcja leków. A co se będę żałował! Chodzę po markecie, popycham wózek i puszczam śmierdzące obłoczki po całym sklepie: nie mam raka. Nie mam raka. Mówię to sobie, śpiewam prawie na głos i fruu, wypuszczam kolejną porcję gazów. A co?! Wolno mi – myślę upojony wieścią, że żyję, że będę żył.

A, jeszcze się zepnę, jeszcze naprężę – muszę wydalić przecież z siebie te nagromadzone gazy. I w ciebie, palanciku, wyceluję, i w ciebie... Jadę po tej świątyni handlu, po tej największej zdobyczy „Solidarności", po wymodlonym, upragnionym, wywalczonym świecie dobrobytu i okadzam go kadzidłem mojego triumfu: będę żył! To nie był rak, tylko jakieś gazy źle umieszczone w jelicie, jakiś fatalny zastój. A więc popierduję na moich bliźnich, na moich współbraci w konsumpcji. Czuję, fizycznie czuję, że znów ofiarowano mi parę lat życia! Gra jakaś francuska muzyczka, wózek toczy się równo, raz po raz miłe dziewuszki – za ładne, za ładne, ludzie od promocji, nie wiecie, że dziewczę zaczepiające ludzi w supermarketach nie może być za ładne, że uroda peszy?! – oferują próbki towaru za friko, ale ja dzięki dzięki, ja mam za darmoszkę jeszcze parę lat życia, po co mi wasz serowy koreczek – bęc, śmierdzący obłoczku, leć do nieba, będę żył!

No co się oburzacie, palanty smutne czające jakiś smrodek w powietrzu, co się marszczysz, okularniku w tym biurowym rynsztunku, w garniturku, co jeszcze obleci, ale butach to już marniawych, no co się krzywisz, wyczuwasz coś? To ozdrowieńcze bączki!

Balzac pisał kiedyś, że chciałby być tak sławny, żeby móc bezkarnie puszczać wiatry w towarzystwie, a ja nie muszę czekać na sławę, ja żyję! A to więcej niż być sławnym i uznanym! Hej, obłoczku, wznoś się pod sam sufit tego supermarketu, ale najpierw popieść nozdrza tych wszystkich palantów tutaj, pchających swoje wózeczki. Na luzie, na luzie! Lek rzeczywiście działa jak szalony, wypuszczam z siebie hektolitry gazów, zagazowałem chyba całą alejkę, część obłoczków pewnie skrapla się w moich bokserkach, ale niech tam! To wszystko lecznicze, zdrowotne!

Popycham wózek i z przyzwyczajenia zajeżdżam do półek z żywnością wegetariańską, no w ogóle z produktami dla zakręconych. Wyglądające niczym morskie stwory warzywa zanurzone w słojach z błotnistą cieczą zerkają na mnie ciekawie. Ale ja jestem już wyzwolony. Cudowne pastyleczki doktor Popławskiej niszczą rezultat nowomodnych diet. W foliach, szeleszczących zgoła nie po europejsku, kłębi się coś niczym słonolubne rośliny toczone przez wiatr po pustyni. Wam też - do widzenia i never more! A jak! Was też okadzę, tak, tak, wam się to należy szczególnie!

Z głośników płynie jakaś francuska, niezrozumiała piosenka śpiewana delikatnym dziewczęcym głosem na brutalnym podkładzie techno, pełnym wywracających bebechy basów podbitych industrialnym brzmieniem. A może - myślę sobie - to wszystko to był rzeczywiście jeden wielki spisek samolubnych genów, fragment odwiecznej wojny plemników? Te nasze z Małgosią piesze pielgrzymki, trzy lata narzeczeństwa. Trzy lata zwijania się z pożądania, by w cnocie dotrwać do przysięgi małżeńskiej i mieć prawdziwą noc poślubną? Może to wszystko było naprawdę czymś innym, niż nam się zdawało? Może to chytra natura, powoli, w oparach religii i kultury szykowała jak najdoskonalsze gniazdko dla naszych małych? I ta triumfalnie sącząca się z głośników umieszczonych gdzieś pod sufitem supermarketu piosenka jakiejś nimfetki, opiewająca zapewne uroki fizycznej miłości, jest właśnie w tym dniu, w tej godzinie podsumowaniem mojej drogi życiowej? Łudzony przez kulturę i naturę, nęcony przez podniosłe i przyziemne wabiki, przygotowywałem po prostu wygodny dom dla swojej samiczki i małych. No, ale okay, było w porzo. Nie narzekam.

– Wstawaj – mówi wesoło Gocha, potrząsając połami mojego namiotu – małego ortalionowego mikrusa bez tropiku, którego jedyną zaletą jest niska waga. Poza tym w namiocie jest ciasno i zimno, a rano na suficie osadza się od środka mnóstwo wody. No ohyda. Zerkam półotwartymi oczyma na zewnątrz. Na ściernisku, gdzie pozwolono nam się rozbić, uwija się już mnóstwo pielgrzymów szykujących śniadanie. Na pierwszym planie widzę jednak coś ciekawszego i bardziej apetycznego: łydka Małgosi wyzierająca spod granatowej długiej spódnicy w małe niezapominajki. Skórzany but o naturalnej jasnej barwie, biała rozczulająca skarpetka i do góry wyrasta moja ulubiona łydka: delikatna, szczupła, ale wymodelowana jak trzeba, rozszerzająca się ku górze, lekko wyginająca się na zewnątrz.

Do ślubu jeszcze dwa miesiące. Chyba jakoś wytrwamy!

Żyję! Żyję! Żyję!

Trzeba to uczcić – myślę sobie i kieruję moją ciuchcię, mojego pierdzącego trabancika w kierunku alkoholi. W zagródce okolonej srebrzystymi bramkami z wykrywaczami towaru kręci się paru dostatniejszych klientów. Zerkam na nich, odrywając na chwilę uwagę od fascynującej akcji gazowania sklepu, i widzę, że wszystko to prawie moi rówieśnicy, sami faceci. Ze skupionymi minami oglądają całkiem drogie flaszki, ważą w rękach, marszczą czoła, coś kalkulują, jak komandosi przed akcją dobierający starannie uzbrojenie w zależności od indywidualnych potrzeb, talentów i przewidywań. Nie ma żartów. Czasem trzeba umiejętnie podlać kobietę albo własny umysł alkoholem, żeby jakoś szło.

Kurczę, faktycznie, wszyscy w moim wieku. Razem pewnie łaziliśmy na demonstracje i krzyczeliśmy: „precz z komuną", razem spierdalaliśmy, ile sił w nogach, gdy zatupali zomowcy przebrani za kosmitów. Ludzie, kocham was, pobędę z wami jeszcze parę lat na tym ziemskim padole, więc pozwólcie, że wypuszczę tu, w tym przybytku luksusu jeszcze jednego bączka. O, chwileczkę... O!

No co? Trabancik też samochód!

Biorę do ręki flaszkę Jamesona i myślę: o tak, dzisiaj się uwalam i choćby Małgocha protestowała, popuszczam sobie bąki w salonie. Muszę to wszystko z siebie wydalić. Trudno. Potem się wywietrzy. W ostateczności wyjdę na taras. Owinę się kocem, wezmę flachę w łapę i patrząc na nocną panoramę osiedli, będę tankował.

No co, rówieśnicy?! Popijemy sobie, nie? Rozwaliliśmy komunę, wpuściliśmy zachodniaków, żeby pobudowali nam supermarkety, to teraz przyszedł czas odpoczynku. Razem już nic wielkiego nie zdziałamy. Możemy się tylko trącić szklaneczkami i uśmiechnąć do siebie, gdy alkohol zacznie walić do głowy.

styczeń 1981

To był rok osiemdziesiąty pierwszy. I żadna tam imaginacja, tylko realna, prawdziwa, odnotowana na zdjęciach trzaskanych przez nadwornego fotografa rozmowa z Janem Pawłem II.

Rzym, pierwszy stycznia. Kończy się właśnie Europejskie Spotkanie Młodych robione przez wspólnotę z Taizé, a mnie razem z jeszcze paroma Polakami udaje się przykleić do przedstawienia jasełek przygotowanego przez młodzież z Klubu Inteligencji Katolickiej. Wbiegamy w ostatniej chwili na papieskie sale audiencyjne, spóźnieni gnamy przez długie korytarze pełne przeciągów, co chwila zatrzymują nas jacyś szwajcarzy, na szczęście jest z nami rumiany ksiądz, który tłumaczy, o co chodzi, i możemy kontynuować szaleńczą gonitwę.

Głowa pełna wrażeń, bo nagle z rozgorączkowanego uniwersytetu, ze studiów, wyrwałem się do Świętego Miasta, spotkałem setki moich rówieśników oddychających na co dzień powietrzem wolności i dobrobytu. W sylwestra przed całonocnym czuwaniem jechałem autobusem po Rzymie, pełnym młodych Włochów palących papierosy, pijących piwo. Sam, dziewiętnastoletni, pociągałem z butelki różowe martini. A potem wzruszające całonocne modlitwy, śpiewanie transowych kanonów i przedziwne, prawie mistyczne przeżycia: samotności we wszechświecie, wielkiej niewiadomej, jaką jest przyszłość, i tajemnicy męki Chrystusa patrzącego z oświetlonej kilkoma lampkami ikony krzyża świętego Damiana. I teraz znowu w innym świecie: wysoko sklepione korytarze i świadomość, że za chwilę zobaczę Ojca Świętego. Twarzą w twarz.

Jasełka jak to jasełka, najwięcej radości sprawiają samym wykonawcom, śpiewającym o Jezusicku jako rękawicka, ale i papież jest wyraźnie zadowolony. Ma sześćdziesiąt lat. Jest niestarym, krzepkim facetem, który osiągnął właśnie szczyt swojej kariery. Knucie, kombinowanie idzie na całego. W Polsce szaleje „Solidarność" i wszystko wygląda super. Wygląda na to, że dzieje się cud: Sowieci godzą się z naszą niezależnością i nie wprowadzają czołgów. Dyplomacja watykańska znajduje wspólny język z Amerykańcami i nad podzieloną Europą wschodzi świt wolności.

Wszyscy się śmieją, wół i osioł rozrabiają jak zawsze, papież promienieje zdrowiem i siłą. Śpiewa jakieś głupawe pastorałki. Wszyscy chichoczą, jak coś mu się zrymuje. Co chwila aula rozbrzmiewa brawami i wybuchami śmiechu. Wreszcie zaczyna się indywidualne ściskanie łapek i całowanie pierścienia. A ja czuję nagle przypływ strasznej złości. I gdy papież podchodzi do mnie wciąż z uśmiechem na twarzy, wciąż zanurzony w rozchichotanym nastroju wycieczki z kraju, stękam ze wzrokiem tępo wbitym w posadzkę: Ojcze Święty, proszę nie zapominać o ludziach smutnych i nieszczęśliwych. Tak! Chcę zabić tę beztroskę, te wkurzające wybuchy śmiechu, żarciki i sielankę. Chcę to przeciąć jak nożem! Papież, jak sądzę, nieco zaskoczony, daje mi do ucałowania pierścień, spogląda na mnie, a potem zwraca się do kogoś ze swojej ekipy, która rytmicznie przesuwa się wraz z nim i rzuca: Tristan. Czy coś takiego.

Triste, tristan, czyli smutek, a może smutas. Nie wiem, sam nie dość dokładnie słyszę, zresztą to jest chyba po prostu tłumaczenie mojej wypowiedzi komuś, kto posługuje się jakimś językiem romańskim. No i tyle sobie pogadałem z papieżem.

Oczywiście, że byłem wtedy głupim, zadufanym w sobie kompletnym dupkiem. Czy nie wiecie, że jeszcze krótko macie mnie z sobą? Pozwólcie radować się, nie rachujcie chwil, nie zabraniajcie się śmiać, ona mnie namaściła przed męką...

Zbliża się straszny 13 maja 1981, Ali Agca cieszy się już na wyjazd do Rzymu i dumny jak paw zadziera głowę, myśląc, że kropnie sobie papieża. Jego ciekawą, męską twarz omiata właśnie ciepły wiatr znad morza, a on zadowolony przeczesuje dłonią krótko obcięte, mocne włosy, czuje, jak emanuje aromatem dobrych papierosów i wody po goleniu Old Spice. Tak: jest królem. Jest mistrzem świata. Wyćwiczony, ma pewność, że nie chybi w rimskowo papę. W białym swetrze w grube sploty, w płóciennych spodniach i espadrylach zbiega po kamiennych schodach.

A Ojciec Święty wyczuwa przecież, że przed nim wielkie cierpienie, bo też wyzwanie, jakie rzucił Złu, jest bezwarunkowe. Raduje się chwilą, bo wie, domyśla się, że niedługo będzie składał ofiarę za takich durnych Polaków jak ja.

Przez lata wspomnienie o mojej rozmowie z papieżem przechowuję jako jeden z największych prywatnych obciachów. Mam zdjęcie zbiorowe z tamtej audiencji. Wszyscy uradowani, w środku jaśnieje papież i tylko ja ponurak, tristan, zerkam gdzieś w bok. Obrażony dorastający gnojek. Smutas nieświadomie powtarzający judaszowy gest fałszywej troski.

godzina 17.15

Wyłażę z wózkiem na parking przed marketem, zadowolony z siebie podchodzę do samochodu. I oczywiście nagle z półmroku wyłania się jakiś chlor. Ma na sobie wyświnioną kurtkę z wielką falką Nike'a – wdzianko, które jeszcze dziesięć lat temu byłoby przedmiotem westchnień większości z nas.

– Szefie, można odprowadzić wózek? – pyta zachrypniętym jak trzeba głosem i mruga okiem, nie udając, że zbiera na pociąg albo jedzenie dla dzieci. Myślę sobie, ujmując w dłoń plastikową torebkę z whiskaczem: no, nie będę mu przecież moralizował, stojąc tak z tą flachą w ręku, okay, dzisiaj jest dzień, gdy wszyscy pijemy.

- Oczywiście. Bardzo proszę.

Chlor dziękuje i oddala się z wózeczkiem, z którego sobie wyłuska dwa zety, a ja wskakuję do alfy. Dzwoni komóra. To Kasia. Do biura dotarły zamówione przeze mnie kasety. Wyjeżdżam z parkingu i pomykam po ursynowskich asfaltach.

Szybkie cześć, cześć z Kasią, nie ma żadnych gości, to wspaniale. Wręcza mi kasetę ze stemplem TVP i z fioletowymi cyframi jak na ochłapie mięsa sprawdzonego przez weterynarza. Zamykam się w pokoiku, chwilę szamoczę się z kartonowym pudełkiem, w końcu wściekły rozrywam opakowanie i wpycham film do magnetowidu. Panasonic ze spokojem ludzi Wschodu wytrzymuje mój furiacki gest i rutynowo, hydraulicznie przejmuje przesyłkę. Słychać pracę dźwigni, lekko terkoczą ząbki. Nastawione jest jakoś od środka, więc wołam przez drzwi:

- Kasiu? Nastawiłaś mi na samego papieża?

- Tak, to są pierwsze ujęcia - słyszę słabiutki głos Kasi. - Ale wiesz, z papieżem jest naprawdę niedobrze.

- Zobaczymy - mówię głośno.

Najpierw dalekie plany, tradycyjnie ciepły rzymski wieczór, którego tu tylko pozazdrościć. I któraś tam stacja Drogi krzyżowej, już blisko finału. Trzeba podkręcić głos. Sięgam po pilota. W pokoju unosi się zapach tego psikacza do mebli o aromacie drzewa sandałowego, musimy go zmienić, bo to strasznie wazoniaste. Fryzjerskie jakieś.

Podnoszę wzrok. Nie no, do kurwy nędzy, co ten operator wyprawia? – myślę, patrząc w ekran telewizora. Prostuję głowę w geście oburzonego zdziwienia, jakby ktoś mnie obserwował. Jak on ustawił tę kamerę i po co te zbliżenia? Obraz drży, ujęcie jest robione ze strasznie długiej lufy, powietrze faluje od ciepła świec i pochodni. Widać wyraźnie, bo rzecz ukazywana jest na wielkim zbliżeniu, nawet twarz nie mieści się cała w kadrze i brana jest z ostrym bocznym światłem, jak papieżowi z kącika ust spływa strużka śliny: wolno osiąga masę krytyczną i odrywa się przezroczysta lepka breja, a biedny papa Wojtyła próbuje powiedzieć parę składnych zdań na zakończenie Drogi krzyżowej. Rzeczywiście jest z nim bardzo źle.

A realizatorzy są bezwzględni. Okrutni. Wytrzymują całą wędrówkę śliny od pojawienia się blikującego bąbelka aż do spłynięcia gdzieś na papieskie ornaty.

Co oni robią? – wkurwiam się. – Kolejni przemądrzalcy, którzy chcą pokazać, że to już koniec?! Pewnie jakiś krótko przycięty Włoch, nonszalancko żujący gumę, miksuje obraz i z sadyzmem podprowadza sobie na mikserze, na pomocniczym monitorku kolejne ujęcia papy, zupełnie się nie przejmując, że to męczy, męczy.

Niemożliwe? Że niby to nieprofesjonalne? Że skoro facet działa na zlecenie telewizji watykańskiej, to nie ma robić jakiegoś reportażu demaskującego niedoskonałości, tylko dać produkt zgodny z zamówieniem: wygładzony gdzie trzeba, podkręcony. Nie ma przebitek? Nie mógł ustawić inaczej światła? Przecież po takim chamskim numerze nikt go już nie zatrudni! Wszystko jakieś porąbane. Jak tak w ogóle można?! Ale przecież i nasi olewają. Co się działo w wozie transmisyjnym w Wadowicach, gdzie koleś walił whiskacza w gardło prosto z butelki? Przecież ludzie naprawdę leją na papieża i mają go w dupie. A Kwach i jego giermek? Zaczynam rytmicznie uderzać pilotem w blat biurka. Kurwa, czy naprawdę nie podbiegnie żadna Weronika, już nawet nie z chustą, tylko zwykłą chusteczką?!

Siwy mistrz ceremonii w drucianych okularkach stoi odsunięty w swoich malinowych szatkach, jakby pokazując, że ten egzamin papa musi zdać samodzielnie. Szczególnie po ostatnich pogłoskach, że jest totalnym wrakiem i powinien ustąpić.

A papa nie zdaje! Oblewa z kretesem! I test sprawnościowy, i intelektualny! Znów walę pilotem w blat i nagle uświadamiam sobie, że coś tam pękło w czarnej obudowie panasonica. No i co z tego?! Odsuwam go wściekły od siebie, małe urządzonko sunie po blacie biurka niczym szklanica z whisky wzdłuż barku i zatrzymuje się na krawędzi. Będzie zabawka dla Jaśka.

W gąbczastej twarzy papieża z trudem można się doszukać tamtych męskich rysów, tak pasujących do okrzyku „Nie lękajcie się!" z początku pontyfikatu. Załzawione oczy, niekontrolowane grymasy, jakby chytre uśmieszki figlarnego staruszka, którego myśl ucieka gdzieś prowadzona przypadkowymi skojarzeniami... Co za koszmar!

W drzwiach pojawia się Kasia.

– Jest telefon na komórkę.

– Nie, nie teraz! – krzyczę prawie i macham ręką, żeby zostawiła mnie w spokoju.

Wracam do kasety. Papież z trudem kleci zdanie. Oblewa mnie fala gorąca. Realizator trzyma bliski kadr. Zero litości.

A może jest wręcz przeciwnie? Może mojemu włoskiemu koledze po fachu chodzi właśnie o wydobycie efektu cierpienia? Żeby ta Droga krzyżowa była prawdziwą Via Crucis. Będą patrzeć na tego, którego przebodli. No to patrzcie: macie swojego el Papa el Papa ra ra ra, gościa, który śpiewał i żartował z młodzieżą i drocząc się, wychodził raz jeszcze do okna w Pałacu Arcybiskupim, a tłum falował i klaskał. Macie swojego superstara, przymierzającego przedziwne nakrycia głowy, indiańskie pióropusze, meksykańskie sombrera, górnicze kaski. Macie swojego wesołka. A teraz co? Strzęp ludzki. Spodobało się Panu zmiażdżyć swego sługę cierpieniem. Spodobało się Panu zmiażdżyć cierpieniem każdego człowieka. Ile w tym telewizyjnym *Ecce homo* współczucia dla odchodzącego papieża, a ile nienawiści do Pana Boga, że każdego z nas tak miażdży. I nawet tego, który uczył w Jego imieniu, pokazuje oto na szyderstwo całemu światu. Nagle łapię nić porozumienia z tym moim włoskim koleżką w błękitnej koszulce polo i myślę: co za kurewski świat. Każdego z nas niszczy. Oto człowiek. Jego drżąca ręka, jego twarz, nad którą już nie panuje, ślina, którą toczy i która nagle kap kap kap, kapie z rozchylonych bezwiednie ust. Dziwaczny wyraz twarzy uformowany przez przypadkowe chorobliwe rozkurcze i przykurcze mięśni... Oto człowiek. Oto sługa, którego wykończył Pan.

Skonfundowany księżulo tłumaczący na żywo z warszawskiego studia słowa papieża stara się wmówić widzom, że nic takiego strasznego się nie dzieje, że wszystko jest okay. Kłamie zza kadru, gdy z udawanym podziwem mówi, że oto papa postanowił odejść od przygotowanego tekstu, by podzielić się bardziej osobistą refleksją. No bo cóż wyłowić można z bełkotliwej, wystękanej mowy? Parę banalnych stwierdzeń, że czuwa się przy grobie w Wielką Sobotę, że w niedzielę grób będzie pusty.

Oto ikona cierpienia. Oto nasz los. Nie w słowach się kryjący, tylko w niemożności ich wypowiedzenia, w bełkocie i bezradności, gdy człowiek nie panuje już nad swoim ciałem, gdy ręka drży, gdy wzrok staje się szklisty.

Papież umiera. Jak nieuleczalnie chory członek rodziny, jak każdy. Wchodzi w tę wielką tajemnicę ciemności, gdzie Chrystus przekonał się, że Bóg rzeczywiście opuścił człowieka. W tę ciemność, gdy spodobało się Panu umęczyć sługę.

Z furią, na dużych zbliżeniach ten jakiś Piergiorgio albo inny Francoluca dojeżdża do twarzy papieża i wytrzymuje to ujęcie. Tak! Będą patrzyli na tego, którego przebodli. A może raczej: którego Pan Bóg wydał na pośmiewisko?

A wszyscy udają, że nic się nie dzieje. Nasz dziennikarz, reprezentant Polski, czytający medytację na temat Cyrenejczyka, wali swoje inteligenckie błyskotki i mówi o solidarności. Każdy z żurnalistów prowadzących rozważania dorzuca jakiś gadżecik teologiczno-publicystyczny i wszyscy są cholernie z siebie zadowoleni. Udają, że nic się nie stało. Że nic się nie dzieje. Że nie ma problema w postaci agonii ich arcypasterza.

Piergiorgio daje od czasu do czasu wytchnąć widzom i miksuje przebitkę, a to na szepczącą młodą parkę: rozmodlona czarnulka z oczkami jak węgielki i ledwo dostrzegalnym wąsikiem klaruje coś swojemu chłopakowi, opalonemu byczkowi podobnemu nieco do Rocky'ego. Tam znów staruszka, z parasolką, z niezwykle szlachetną wysuszoną twarzą. Teraz landszafcik ogólny z zarysem Koloseum i przejście na krzyż w środku budowli. A potem znów powrót na tę twarz, twarz umierającego sługi.

– Kaśka!! – krzyczę.

Wchodzi rudawa, lekko speszona, ale ona tak zawsze. Brązowe spodnie, banalny granatowy sweterek na guziki. Gdy ją zatrudniałem, wydawała mi się kompletnie aseksualna i to zresztą mnie w niej ujęło. Dopiero później, z biegiem dni zobaczyłem, jak bardzo mi się w niej podoba jej jakieś takie niewyklucie, niezdrowa, nadwrażliwa cera z lekkimi piegami i zaczerwienieniami, jej tanie, zawsze zbyt wiotkie ubranka, koślawe buty. Perwers ze mnie pierwszej klasy, niestety. Kasia stoi i patrzy wielkimi, zdziwionymi oczyma niemowlęcia, zwraca do mnie swoją lekko piegowatą twarzyczkę, drobną jak piąstka. Kościste palce, zaczerwienione skórki przy paznokciach.

– Wiesz co, ściągnij mi badania dotyczące oglądalności tej Drogi krzyżowej minuta po minucie.

Kasia zapisuje coś w swoim notesie i pyta:

– A telefon?

– Nie, nie teraz, dzięki.

Zastanawiam się, jak widzowie to znieśli, do kiedy wytrwali, jaka jest ich wytrzymałość na tego typu obrazy. Przecież od takiej prawdy się ucieka, w zgrabne sterylne plastikowe przykrycia, w szpitalną anonimowość. Ucieka się w krzątaninę wokół chorego, w poprawianie poduszki. W szukanie lekarza.

Skąd to cytat: *Powiedz mi, jak boli Cię człowiek?* Nie wiem. Ale przecież Pan Bóg pokazuje nam od dawien dawna, że Go specjalnie nie boli. I że musimy wytrzymać. Jeśliby ktoś chciał zrobić teledysk do słów *Boże mój, Boże mój, czemuś mnie opuścił*, starczyłoby materiałów telewizyjnych z naddatkiem. Jakiż to byłby fantastyczny kontrast z *Abba Pater* śpiewanym przez papieża, ha, jeszcze papieża w pełni sił, na podkładzie koszmarnego disco polo czy może raczej italo disco. Tam jakieś obłoczki, pląsy młodzieży, uśmiechy. A tu papa swoim obecnym złamanym głosem mówi: *Boże mój, Boże mój, czemuś mnie opuścił.* I pokazujemy te zwały trupów spychane do rowów, rozpacz różnokolorowych ludzi, egzekucje, ale i szpitalne łoża, żeby nie było jednostronnie. To nie ludzie ludziom zgotowali ten los, o nie. Nie ma ułatwień. I ten lament jest nie tylko lamentem duszy udręczonej chwilową nieobecnością Boga, to także pytanie: Boże, czy Ty w ogóle mnie kochasz?!

Abba. Tatusiu, gdzie jesteś? Czemu mnie porzuciłeś?! Pytanie zdziwionego dziecka, w którym już kiełkuje straszne podejrzenie, że może nie istnieje żaden kochający tatuś, że może zostało samo. Na wieki.

Mrużę oczy i widzę szybkie jak smaganie batem sekwencje agonii, śmierci, rozpaczy. Walimy po gałach jak strobo. Stopniowo redukujemy obrazki pod tytułem okropieństwa wojny i pokazujemy ohydę zwykłego, cywilnego, pokojowego umierania. A potem zmniejszamy tempo montażu. Popatrzmy sobie. Słowa z trudem recytowane przez papieża zwalniamy na komputerze i dodajemy echo. Albo Leśmiana: *Boże, odlatujący w obce dla nas strony, powstrzymaj odlot swój – I tul z płaczem do piersi ten wiecznie krzywdzony, wierzący w Ciebie gnój.* A może: krzywdzony przez Ciebie, wierzący gnój? Za proste, za bardzo do rymu? Ale przecież ten gnój na końcu skutecznie unicestwia łatwiznę rymowanki. Gnój, w jaki zmienia się człowiek. Gnój, jaki pozostawia po sobie.

Takim teledyskiem pożegnać papieża? *Boże mój, czemuś mnie opuścił?* Takim rozpaczliwym pytaniem, powtarzanym przez każde pokolenie, wieńczyć naszą z nim zażyłość? Słowa psalmu zwątpienia rzucone wprost w zimny, pusty kosmos, miałyby zabrzmieć na krakowskich Błoniach? I nieść się nad wstrząśniętym tłumem, i echem rozbrzmiewać w głośnikach? W powietrze wystrzelić winny wówczas z krakaniem ptaki złowieszcze, a wiatr zafurkotać czarnymi chorągwiami. Uśmiecham się, bo nagle łapię się na tym, że inspiruję się Beatlesowską *Revolution Number 9*. I tamtymi naiwnymi próbami stereo. No ale przecież to musi być popowe.

Kasia wreszcie może przypomnieć o tym telefonie:

– Dzwonił ksiądz Mirecki, przełączyłam go na sekretarkę, jest nagrany na komórce.

– Dzięki. Do jutra – mówię już w drzwiach i zbiegam po schodach.

A może papież mocuje się z Panem Bogiem? Nie rozumiem Twoich decyzji, ale w takim razie pokaż, jaka jest Twoja wola, ja do końca będę walczył. Papież-sportowiec, wyćwiczony w znoszeniu przeciwności losu. Samotny zawodnik. Osierocony w dwudziestym roku życia. W pojedynkę prowadzący swoją rozgrywkę o sens. Dla kogóż miałby żyć i wegetować, gdyby porzucił walkę? Dla współpracowników, którzy nie dorastają mu do pięt? Co? Otoczą go wianuszkiem życzliwości i będą chronić od konfliktów współczesnego świata? Nie, Boże, jeśli chcesz, proszę bardzo, jestem, zmiażdż mnie do końca. Dlaczegóż miałbym obserwować upadek tego gmachu, który wznosiłem latami? Więc zaciskam zęby i podejmuję jeszcze jeden wysiłek. Zmiażdż mnie cierpieniem na oczach wszystkich. Niech mają to swoje reality show!

godzina 17.55

Zapinam pas, montuję panel od radia i odsłuchuję wiadomości z sekretarki automatycznej.

„Halo. Tu ksiądz Piotr Mirecki, asystent biskupa Dzięgiela – wali tekst równo, jakby czytał z kartki. – Chciałbym poinformować, że uroczystości, o których mówił Jego Eminencja, zostały odwołane. To w ogóle było nieporozumienie. Jego Eminencja jest zresztą przemęczony i dziś wyjechał na leczenie. – Pauza, ale słyszę jakiś szelest. To jeszcze nie koniec. – A i tak pańska kandydatura, ze względu na różne pana wcześniejsze aktywności, została, to znaczy, nie została, zaakceptowana. Będę..." – i nagranie urywa się. Kasuję wiadomość.

Oddzwaniam do biura.

– Kasiu. To ja. Mam prośbę: skombinuj mi numer księdza Mireckiego, dobra? Mi-rec-ki... Tomasz, nie! Piotr. Piotr. Albo wiesz co? Połącz mnie po prostu z nim. To jest asystent biskupa Dzięgiela. Dobra. Czekam.

Biorę głęboki oddech, tęsknym wzrokiem zerkam na flaszę. Włączam radio, żeby sprawdzić, czy nic dzisiaj nowego nie walnęło. Ale muzyczka gra wesoło, więc chyba jest w porzo. W Radiu Maryja jakaś staruszka mściwym, zaciętym głosem odmawia różaniec, jakby to był stek wyzwisk pod adresem młodego pokolenia. W RMF-ie z kolei jakiś troglodyta reklamuje kondomy dureks. Na milion okazji. Naiwniaki.

Dzwoni Kasia i łączy z księdzem. Już wyjeżdżam z parkingu, więc pakuję sobie słuchaweczkę do ucha.

– Halo, ksiądz Mirecki? Odsłuchałem wiadomość od księdza, bardzo dziękuję za informację. Chciałem się dowiedzieć, o co konkretnie chodzi.

– Tak jak komunikowałem: Jego Eminencja udał się na leczenie. – Ksiądz stara się mówić lakonicznie, żeby nie sypnąć za dużo, ale będzie musiał się jeszcze trochę pouczyć.

– No dobrze, ale na jakie leczenie, rozmawiałem z nim dziś rano i nic nie mówił. – Księżulo milczy, więc naciskam. – Co to za leczenie?

– Psychiat... to znaczy nerwowe, no, jest w klinice, bo okazało się, że jest przemęczony. – I dorzuca pełnym troski głosem: – Ale bardzo byśmy prosili o dyskrecję w tej materii.

– Aha, rozumiem. A co w takim razie z uroczystościami, za które on odpowiadał? Może chociaż przekazałbym komuś swoje przemyślenia, nawet jeśli nie ja będę to reżyserować?

– To w ogóle była osobista inicjatywa księdza biskupa... niekonsultowana z nikim... – tu ksiądz Mirecki prycha nerwowym śmiechem, czyżby szykował się kolejny pacjent? – ale i tak, jak już wspominałem, pana osoba nie jest brana pod uwagę... Jednym słowem oferta biskupa jest całkowicie nieaktualna. Tym bardziej że Ojciec Święty czuje się dość dobrze i...

– Jednym słowem – przedrzeźniam księdza – biskup ma problemy z głową, wymyślił sobie pogrzeb papieża i jeszcze błędnie dobrał reżysera, tak?! – Jestem naprawdę wkurzony.

– W zasadzie...

– Tak czy nie?

– W zasadzie tak.

– W porządku. Szczęść Boże! – mówię i łapię się na tym, że mój ton przypomina głos staruszki z radia.

Rozłączam się i dopiero wtedy mogę powiedzieć, co o tym wszystkim sądzę:

- Fuck you! Fuck! Fuck! Fuck!

Czyli co? Tylko szalony, niespełna rozumu ksiądz biskup może mnie angażować? I to do imprezy zrodzonej w chorym umyśle?

- Fuck you! - Walę z całej siły dłonią w kierownicę - Fuck!

Wciskam pedał gazu do dechy i jak szpanerski licealista palę gumę, ruszając z przeraźliwym piskiem opon. Fuck! Tylko jakiś biskup idiota może mi zaufać. Niezłe! Zachciało się panu Andrzejkowi reżyserii końca świata! Nie dla psa kiełbasa! Wracaj, głupi wale, do domu, siedź na dupie i tłucz programiki rozrywkowe. A co ty myślałeś, że za zasługi? Chyba w płodzeniu dzieci. Czas do domku, palancie!

A więc już nigdy się porządnie nie wyspowiadam? Nie stanę w blasku prawdy? Nienawidzę siebie i swoich słów, które tak pięknie perlą się we mnie, gdy klękam przy konfesjonale, pienią mi się w ustach niczym te nowomodne cukierki działające jak lemoniada w proszku. Nienawidzę tego poruszenia z drugiej strony kratek - ksiądz spowiednik czyta przecież te same książki co ja i gdy słyszy inteligentną nawijkę, także daje się unosić pięknym słowom. Nawet gdybym zapłakał, zawył, to i tak bardzo szybko ująłbym to w jakiś kształt znajomy, oswojony, kulturalny. Kiedy stanę w prawdzie, ogołocony, i wyznam swoją nędzę?!

Życie moje to pstrokaty patchwork sklecony nicią ironii. I gdy tej ironii zabraknie, gdy wszystko się rozpadnie, to cóż pozostanie? Kupka żałosnych szmatek. Szmatek niespecjalnie z sobą współgrających. Połyskliwa tandeta grubo lakierowanego czerwonego tworzywa gryzie się ze szlachetnością stuprocentowej wełny w dyskretny wzorek. Dżins, noszący obok śladów przetarcia także pozostałości niedopranego brudu, zestawiony z miękkim atłasem. Koronki lekko pożółkłe, ale tym nobliwiej wyglądające, obok krzykliwie różowego sztruksu. Futerko z cholewki kurewskich botków obok fragmentu torebki wyszywanej brązowawozłotymi nićmi. Nic tu z niczym nie współgra. A wszystkie kawałki małe, że tylko łatki niewielkie można z nich zrobić, nic więcej.

Jak pozbieram to, jak połączę, czym zszyję, gdy zabraknie ironii? Odziany w łaciaty kubrak będę udawał dostojnego męża i karcił rozpasanie świata? W gryzącej sztywnej wełnie będę dalej błaznował? Odchodzi marzenie o wielkim wybuchu, katastrofie, która uporządkuje wszystko, przepali, co złe, i wydobędzie szlachetność. Nie ma lekko, trzeba żyć w średnich temperaturach.

Silnik buczy na wysokich obrotach.

Ale przynajmniej żyję – myślę sobie. – Żyję, nie mam raka, jeżdżę dobrym samochodem, na przegubie ręki przyjemnie ciąży mi wypasiony zegarek, mogę podkręcić sobie głośność w radiu, a za chwilę się uwalę alkoholem i odbędę wielką oficjalną sesję pierdzenia! Znów na moją twarz wraca ten cholerny uśmieszek ni to satysfakcji, ni to kpiny z samego siebie, grymas zdradzonego sowizdrzała, który jakoś układa się ze światem.

Mknę przez Ursynów, przez mój ukochany Ursynów, po rowerowych alejkach zasuwają do domów ostatni rowerzyści-desperados okutani w ciepłe dresy, w blokach rozbłyskują światła. Będziemy żyć! I może nawet papa Wojtyła pożyje z nami jeszcze trochę! Zwolni nieco obroty, przybastuje z pielgrzymkami i jakoś to będzie!

Półsportowe zawieszenie alfy świetnie amortyzuje nierówności drogi. A tu, na tym małym rondku sobie zapiszczymy. Hamulec, redukcja, gaz! Lubię tak robić: człowiek zrośnięty z maszyną – jedna ręka wsparta na drążku zmiany biegów, druga mocuje się z wyrywającą kierownicą. Okay i powrót do normy.

Staję na światłach przy Komisji Edukacji Narodowej. I widzę nagle, jak przez trawiaste pagóry biegnie do przejścia dla pieszych mój dziesięcioletni Jasiek. Zasuwa niczym zając po polu, niczym oszalały szczęśliwy szarak umykający myśliwym, świadom tego, że jest już poza zasięgiem ich rażenia, że umknął i oto raduje się swoim pędem, nakręca swoją sprawnością, odbija się od zagonów jak kozica górska skacząca w dół żlebu po przeciwległych skalnych ścianach. Skulony zastyga raz po raz w powietrzu, jakby nie chciał spadać. Zawisa. Patrzę na niego i śmieję się. Zaśmiewam się całym sobą. Aż czuję na brzuchu napinający się pas bezpieczeństwa. Biegnie, skacząc po górach.

Trąbię na niego. Nie reaguje, przyspiesza, myśli pewnie, że ktoś chce go ochrzanić tym trąbieniem... Naciskam na klawisz otwierający szybę i krzyczę:

– Jasiek! Jasiek!

Staje oszołomiony biegiem, rozgląda się nieprzytomny, zielony kaptur polarowej bluzy ogranicza mu pole widzenia, ale dostrzega mnie wreszcie, podbiega. Zasapany, szczęśliwy. Szczęściem młodego bożka. Albo zająca.

– Dokąd tak gnasz?

– Do kolegi, dać mu lekcje, zaraz będę miał autobus.

– Wskakuj, to cię podrzucę.

Wsiada.

– Cześć, Jaśko! – raduję się strasznie, że go spotkałem. W kapturze wygląda jak młodziutki mnich. Kto wie...

– Cześć, tatko – mówi, a ja myślę sobie: świat jest jednak cudowny! Przecież to kompletne spełnienie. Mieć syna! To takie podstawowe, takie... zwierzęce. Przeżywam to z całą naturą! Mieć potomstwo. Mieć małe. Mój Jasiek wspaniały.

Ściskam mu rękę, a on patrzy na mnie z miłością. Wciąż zadyszany, dziwi się pewnie wylewowi uczuć.

– O, co to? – wyjmuje spod siebie butelkę whisky, na której przysiadł.

– To moja flacha, będziemy dziś z mamą świętowali cudowne uzdrowienie, czyli powrót taty.

– A ja? Co z tego będę miał? – pyta niespecjalnie zainteresowany uzdrowieniem ojca.

– Może łabądka? – żartuję, ale on tego nie rozumie, nie te lata, więc tłumaczę: – Wiesz, to się robiło z kapsli od wódki. Wyginało się zakrętkę, tam był taki pierścień – pokazuję coś palcami, ale chyba nie chwyta. – Formowało się w kształt łabędzia i mówiło, że tatuś sobie popije – naśladuję zmenelowany głos – a synek dostanie łabądka... Ale coś wymyślimy. Może pizzę? Bo dziś wielki dzień. Tatuś jest po badaniach lekarskich i będzie żył! To dokąd mkniemy?

Zajeżdżamy pod poszarzały ursynowski blok, Jasiek wybiega i wpada znów swoim zajęczym kłusem do klatki schodowej. Zostaję sam. Mój Jasiek...

Gdybym zdążył... Wszedłbym jakimś bocznym wejściem, bo zawsze wchodzę przecież tak bokiem, na przyczepkę. Ciemnowłosy, lekko pucułowaty sekretarz ubrany w szarą koszulę z koloratką wykonuje w powietrzu pantomimiczny gest ręką, który oznacza, że mam zachować milczenie. Wyprzedza mnie o parę kroków, widzę jego tłustawą pupę, potem zwalnia, daje się dogonić. Pachnie intensywnie waniliowymi perfumami. Sale, przez które przechodzimy, są wąskie i bardzo wysokie, obłożone banalnymi olbrzymimi obrazami i w zasadzie nie wiadomo, czemu służą. Zapada już ciepły wieczór. Przez wielkie okna widzę strzelające w powietrze cyprysy.

– Ojciec Święty jest zmęczony – instruuje mnie sekretarz – proszę więc mówić zwięźle i nie liczyć na długie posłuchanie. Poza tym Jego Świątobliwości sprawia duży kłopot mówienie, więc...

– Dobrze, będę mówił krótko – ucinam wbrew protokołowi.

– Proszę tu usiąść i czekać...

Siadam na jakimś zabytkowym, bogato tapicerowanym zydlu, na którym pewnie siedziało wielu możnych tego świata i czekało na audiencję u papieży, wielkich, niedostępnych, pysznych władców kościelnego państwa. Siedziało i kruszało.

Inni z oczekujących – szaleni reformatorzy ze swoimi wizjami zakonów, które odmienią oblicze ziemi, przepowiadają sobie raz jeszcze wszystkie kwestie, podważają oskarżenia inkwizytorów i sceptyków, wydobywają najlepiej brzmiące argumenty za zatwierdzeniem nowej reguły. Byle się nie zdenerwować, byle nie zacząć krzyczeć – upominają sami siebie i uśmiechnięci upewniają, że przecież to niemożliwe, papież nie może odrzucić ich projektu, wszak tylu współbraci modli się teraz w intencji naszego zgromadzenia, naszej zakonnej rodziny... Siedzą i mówią sobie: sam Pan przekazał mi misję zreformowania zakonu, na pewno stanie się Jego wola. Bez względu na to, co słyszy się o papieżu, to jest przecież następca świętego Piotra i ma dar Ducha. Poprawiają trzymany na kolanach zapis swoich wizji...

A ja, co ja robię na tym zydlu? Chciałem powiedzieć: Ojcze, miałeś rację. Tylko tyle? A może rozwinąć to i opowiedzieć o przedziwnych skojarzeniach z Tristanem? Może tak:

„Ojcze, nazwałeś mnie kiedyś Tristanem, wiem, to mogło być przez przypadek, w trakcie jednej z audiencji w osiemdziesiątym pierwszym roku, ale mnie się to jakoś złożyło w całość. Może to była wskazówka. Przemyślałem wszystko. Tristan położył miecz między siebie i Izoldę, a ich miłość rozkwitła jeszcze silniej właśnie dzięki ograniczeniom, dzięki przeszkodom. Więc ja też to zrobiłem, kładąc między siebie i moją Małgosię zasady, które Ojciec, wyśmiewany przez cały świat, wyszydzany, głosi. I dzięki temu przetrwała moja miłość do Małgosi. Buntowałem się, bo tego nie rozumiałem. Ale jakoś wytrzymałem i jestem najszczęśliwszym człowiekiem na świecie. Bo Ojca wskazówki ocaliły nie tylko miłość, ale żar. Żar ocalał!"

Kręcę się na zydlu i myślę: nie, to bez sensu, nie będę przecież wciągał osiemdziesięcioletniego kapłana w labirynty moich pożądań. Jakieś miłosne żary, bez przesady! Co jeszcze, może mam fotki pokazać? A to poezjowanie, przecież trzeba by wygłosić cały esej i zaopatrzyć go w sążniste przypisy. Chyba do rana bym tłumaczył, żeby nie iść na skróty.

Na pewno wyproszono by mnie po kwadransie. Sekretarz usłyszałby choćby fragment mojego monologu, jakiś strzęp, i dwóch rosłych szwajcarów wyniosłoby mnie z sali audiencyjnej. Śliniącego się erotomana-gawędziarza.

No ale co? Wpadnę do Ojca Świętego i powiem po prostu: Bóg zapłać? Co, ucałuję pierścień i powiem: Bóg zapłać za wszystko? Za niepodległą Polskę i nauczanie?

A papież? Zobaczy, że przyszedł jakiś koleś, żeby sobie z nim strzelić zdjęcie. Ujrzy czterdziestolatka z przerzedzonymi włosami, kompletnie anonimowego faceta, mistera Nobody, który zawraca mu głowę, żeby powiedzieć dziękuję? Przecież on takich rodaków i nierodaków ma codziennie na pęczki.

Drzwi się otwierają, gdzieś w głębi, widzę w fotelu malutką postać Jana Pawła II, Karola Wojtyły, Ojca. Przygarbiony wygląda jak święty Antoni Pustelnik z madryckiego *Kuszenia* Hieronima Boscha. Przykurczony, słabowity staruszek. Poprawia sobie drżącą lewą rękę. Szklanym spojrzeniem omiata podłogę. Słabowity, drobniutki - nic już prawie nie zostało z krzepkiego faceta, który wygrał wojnę z komuną.

Nie jest silnym gniewnym starcem à la Chomeini, nie ma godności wysuszonego ascety, to już staruszek rządzony przez niekontrolowane skurcze mięśni, delikatna, więdnąca roślinka. Malutkie ludzkie zawiniątko. Budzący litość kłębuszek.

A z góry nadlatują potężne ptasie maszkarony i szybują, szyderczo kracząc, żeby go wgnieść w rozpacz bezdenną, pokazując triumf i moc zła. Lecą ptaki z dziobami jak kutasy, smoki z dupami zamiast pysków, zakonnicy ze świńskimi ryjami - wcielenia banalnego do bólu zła, które niszczy ziemię. Wielkie myszy wyposażone w obwisłe piersi, chudzi księża spleceni w miłosnych nieprzystojnych uściskach z siostrami zakonnymi - rozplenione zło, które nie krępuje się już własnym występkiem. W wielkiej psiej czaszce podróżuje tłum śliniących się kapłanów-pedofilów z chichoczącymi nieletnimi ofiarami, które najwyraźniej polubiły igraszki z katechetami, sunie uczony w drucianych okularkach z wielką księgą pod pachą i dupczy jakiegoś osła. Całe brutalne, nieskrępowane w swym zepsuciu zło świata, któremu intelektualiści dają coraz większe przyzwolenie, lata pod sklepieniem sali audiencyjnej. Obślizła ryba o pysku przypominającym rozchylającego się do akcji penisa wyłania się spoza chmur. Triumf zła, rozpasanego, przybranego niedbale w szatki nowoczesności zdaje się niepodważalny. „Umrzesz, staruszku, już niedługo, a my szybko posprzątamy po Tobie i przyzwolimy na wszystko!"

Ale oto gdzieś z boku z odsieczą lecą hufce anielskie. Przezroczyste, malowane niepewną kreską, jakże eteryczne i ulotne w porównaniu ze światem zła! Zaraz zetrą się z szatanami. A wśród tych niebieskich wysłańców, ledwie widocznych na ciemnych tle, jakby były tylko szkicem, widzę też moje anioły stróże, te wymodlone przez Małgosię. Lecą na odsiecz papieżowi. Lecą na odsiecz mnie.

Na odsiecz nam.

październik 2001 – maj 2002

REDAKCJA
Magdalena Petryńska

KOREKTA
Anna Sidorek

REDAKCJA TECHNICZNA
Urszula Ziętek

PROJEKT OKŁADKI I STRON TYTUŁOWCH
Marek Goebel - Towarzystwo Projektowe

FOTOGRAFIA NA I STRONIE OKŁADKI
STOCK/AGENCJA PIĘKNA

FOTOGRAFIA AUTORA
© Joanna Forsberg

Wydawnictwo W.A.B.
ul. Łowicka 31, 02-502 Warszawa
tel. (22) 646 05 10, 646 05 11, 646 01 74, 646 01 75
e-mail: wab@wab.com.pl
www.wab.com.pl

SKŁAD
Komputerowe Usługi Poligraficzne
Piaseczno, ul. Żółkiewskiego 7

DRUK I OPRAWA
Oficyna Wydawnicza READ ME,
Drukarnia w Łodzi

ISBN 83-89291-22-3